KU-112-303
Wujek Darek,
ja,
ciotka Danka
i brachol, ze swoją typową miną
Fajny wózek, nie?
Fura Grubego przed naszym blokiem.
Rower, samodzielnie zmontowany przez tatę. Duma.

# JEGO WYSOKOŚĆ LONGIN

# MARCIN PROKOP

# JEGO WYSOKOŚĆ LONGIN

ilustrowała Joanna Rusinek

znak emotikon
Kraków 2014

ILUSTRACJE I PROJEKT OKŁADKI
Joanna Rusinek

ZDJĘCIE NA IV STRONIE OKŁADKI
Piotr Porębski/metaluna

ZDJĘCIA NA WYKLEJCE
Archiwum rodzinne Marcina Prokopa

OPIEKA REDAKCYJNA
Karolina Macios
Magdalena Talar

ADIUSTACJA
Anna Szulczyńska

KOREKTA
Katarzyna Onderka, Judyta Wałęga

SKŁAD I ŁAMANIE
Agnieszka Szatkowska



ISBN: 978-83-240-2961-7

Książki z dobrej strony: www.znak.com.pl
Społeczny Instytut Wydawniczy Znak, 30-105 Kraków, ul. Kościuszki 37
Dział sprzedaży: tel. (12) 61-99-569, e-mail: czytelnicy@znak.com.pl
Wydanie I, Kraków 2014
Druk i oprawa: CPI Moravia Books s.r.o.

*Dla Zosi,*
*sweet child o'mine*

# ROZDZIAŁ PIERWSZY

**CZEŚĆ, JESTEM LONGIN.** Co macie takie zdziwione miny? Pytał was ktoś, jak chcecie mieć na imię? Albo wypełnialiście jakiś formularz z życzeniami dotyczącymi wzrostu, rodzeństwa i mieszkania? Właśnie, kto powiedział, że życie jest sprawiedliwe? Moje nie jest.

Właściwie mam na imię Marcin, ale wszyscy wołają na mnie Longin. Wszyscy poza rodziną, która zwraca się do mnie na różne sposoby: Martuś! (mama, która chciała mieć dziewczynkę), synu! (tata), aniołeczku! (babcia – kiedy jestem grzeczny), nasienie szatana! (babcia, kiedy nie jestem grzeczny), wnusiu! (dziadek). Tylko stryj, wielki fan muzyki, woła do mnie Longin, bo uważa, że pseudonimy są fajniejsze niż zwykłe imiona.

Ale o czym to ja mówiłem? Aha, że życie nie jest sprawiedliwe. Bo wiecie, zawsze byłem beznadziejny w te idiotyczne zabawy, którymi zatruwali nam życie w przedszkolu. A teraz, drogie dzieci, bawimy się w chowanego. Jasne... Po co w ogóle miałem się chować? I tak zawsze wystawała mi albo głowa (bo jestem za wysoki), albo nogi (bo są za długie), albo ręce (z tego samego powodu). Chcecie poznać pierwsze wspomnienie z mojego życia? Byłem z rodzicami u znajomych, wokół stołu biegało mnóstwo dzieci, na podłodze leżały końce zbyt długiego obrusa i śmierdziało pastą do parkietu. Był tak wyfroterowany, że wyrżnąłem nosem do przodu, a kiedy zbierałem się z podłogi, ktoś powiedział ze zdumieniem: „Ależ on jest długi, jak jamnik mojej kuzynki!". No i stąd się wziął ten Longin. Bo „long" to po angielsku „długi", rozumiecie?

Zawsze taki byłem. Podobno kiedy 14 lipca 1977 roku przyszedłem na świat, nie mieściłem się w szpitalnym łóżku na oddziale noworodków i musieli mnie położyć na zwiniętej kołdrze na podłodze. Dobrze, że nikt na mnie nie nadepnął, bo dziś nie czytalibyście tej książki. Nie mieściłem się też na materacu w przedszkolu, a siadając w ławce w pierwszej klasie, musiałem składać się jak scyzoryk. Masakra. Potem ktoś wpadł na pomysł, żeby woźny zrobił dla mnie specjalną ławkę – wyższą niż normalne. Wtedy właśnie zaczęli wołać na mnie Longin. Nawet nauczyciele tak do mnie mówili. Poza gościem od wuefu – całe metr pięćdziesiąt w kapeluszu – który tytułował mnie złośliwie „Jego Długość", zadzierając

przy tym głowę do góry. Kiedyś nawet dostał od tego skurczu szyi i musieli wzywać pogotowie. Nieważne. Opowiem wam innym razem.

Teraz już siedzę w zwykłej ławce i ledwo się w niej mieszczę. Zawsze kiedy zapomnę i wyprostuję nogi, ktoś się o nie potyka. Najczęściej facet od matmy. Szkoła jakoś nie wzbudza we mnie dzikiego entuzjazmu, ale na pewne ustępstwa czasem trzeba iść. Tata powiedział, że jak nie będę chodził do szkoły, będę taki jak nasz sąsiad Gruby. W sumie to fajnie być Grubym – ma szeleszczące dresy w buraczkowym kolorze, mieszka na parterze w naszej kamienicy, ma dla siebie połowę podwórka i wszyscy się go boją. Nawet tata, któremu wydaje się, że jest bardzo silny, bo codziennie robi cztery pompki przed zaśnięciem, a potem przyklepuje sobie włosy, bo sterczą mu na wszystkie strony.

No, ale gdybym nie chodził do szkoły, musiałbym cały dzień spędzać z Bracholem w jednym pokoju. Gdybyście sami na to nie wpadli – Brachol to mój młodszy brat, który naprawdę nazywa się Sebastian. Postanowiłem więc wybrać mniejsze zło. A przyznacie sami, że wybór niełatwy. Z jednej strony czwarta klasa z durnymi zadaniami o pociągach, co to wyjeżdżają ze stacji A i zanim dojadą do stacji B, dostaję ataku śpiączki i matematyk rzuca we mnie kredą. Z drugiej – pięcioletni smarkacz grzebiący w mojej kolekcji kapsli! Nie, życie nie jest sprawiedliwe, ale trzeba sobie z nim jakoś radzić. Gruby radzi sobie świetnie, przynajmniej tata tak twierdzi. Mama zawsze wtedy wywraca oczami, jakby chciała przebić nimi sufit i dostać się na strych, a stamtąd prosto na dach, gdzie lepiej żeby nie wchodziła, bo ostatnim razem zostawiliśmy tam z chłopakami zgrillowanego gołębia.

Chcieliśmy zrobić sobie piknik jak dorośli, ale nikt z nas nie miał przy sobie niczego do jedzenia, więc położyliśmy na ruszcie znalezionego na podwórku zdechłego ptaka. Jednak po przypieczeniu pachniał jak zimowe kozaki dziadka, więc uznaliśmy, że może na dachu szybciej wywietrzeje. Mama nie lubi Grubego, mówi, że jak zje jeszcze jedną kiełbasę, to mu spodnie pękną na tyłku, ale on je i je, a jakoś mu nie pękają. Wiem, bo on ciągle chodzi w tych samych dresach, bez względu na to, czy jest lato, czy zima. Poza tym nie kłania się mamie, a mama uważa, że mężczyźni powinni być dżentelmenami i otwierać paniom drzwi, oraz ustępować miejsca w autobusie, zupełnie jakby nie mogły sobie trochę postać. Za to mama często ustępuje innym, bo nie lubi się kłócić. Chociaż nie przepada za naszymi sąsiadami z kamienicy – no może poza panią Magdą, czyli mamą mojego kumpla Piotrka, którą czasem lubi, a czasem nie – to nigdy nie mówi im, co o nich myśli. Gruby za to nie ma z tym problemu, zazwyczaj nas nie lubi, tylko rzadko, nawet bardzo rzadko zdarza mu się Dzień Życzliwego Nastawienia Do Bachorów i wtedy pozwala nam bawić się na swojej części podwórka.

Nasze podwórko jest całkiem spore, wychodzi na nie okno mojego pokoju, więc wystarczy rzut oka z drugiego piętra i już widzę, czy warto zejść na dół. Gdy zjawia się Krzysiek albo Piotrek, zbiegam bez chwili wahania. Kiedy zobaczę tego przemądrzalca Damianka, muszę się dwa razy zastanowić, bo widzicie, Damianek zazwyczaj doprowadza mnie do szału, a co będę narażał swoje zdrowie psychiczne. Damianek wszystko wie najlepiej, Damianek zawsze ma rację, świadectwo z czerwonym paskiem i plakietkę „wzorowy uczeń", którą mama przyszyła mu chyba do każdej bluzy. Nie chciałem go wcale przyjmować do bandy, ale Krzysiek z Piotrkiem mnie przegłosowali. Krzysiek jest moim najlepszym przyjacielem. Mieszka w kamienicy obok, która przylega do naszego podwórka, więc na szczęście nie mamy do siebie daleko. Z Piotrka też fajny gość, tyle że jest alergikiem. Od początku wiosny aż do późnej jesieni albo kicha, albo łzawią mu oczy, albo ma czerwoną wysypkę na twarzy, albo nerwowo drapie się po brzuchu. A kiedy puchną mu oczy, tak że zamiast nich ma tylko dwie małe szparki i wygląda jak chomik dżungarski, mama nie pozwala mu wychodzić z domu przez kilka dni. To właśnie naszą czwórkę Gruby nazywa bachorami, bo na Brachola to nawet nie raczy spojrzeć. Gruby w ogóle widzi tylko to, czego nie zasłania mu wielki brzuch, pewnie ostatni raz patrzył na swoje stopy z dziesięć lat temu. I w ogóle nie ma szyi, głowa wyrasta mu prosto z ramion, a gdy chce spojrzeć w bok albo do tyłu, musi się cały odwrócić. Więc jakim cudem widzi wszystko, co się dzieje na podwórku? Nie mam pojęcia.

– Longin!!! Longin, jesteś?!

Nawet nie muszę się wychylać przez okno, po wrzasku bezbłędnie rozpoznaję Piotrka. Przechodzę przez kuchnię (inaczej się nie da, mój pokój to właściwie kawałek kuchni, w której tata kilka lat temu wydzielił dla mnie miejsce), rzucając mamie stojącej przy zlewie, że schodzę na podwórko.

– Martuś, tylko uważaj na schodach!

Cała mama. Mam dziesięć lat, a ona wciąż traktuje mnie jak dwulatka. Ostatnio nawet chciała mnie wziąć za rękę, gdy przechodziliśmy na drugą stronę ulicy. Na szczęście nie było przy tym nikogo znajomego, to mi nie narobiła wstydu przy ludziach. Wolałbym, żeby się skupiła na Sebastianie, więc od kiedy się urodził, wprowadziłem w życie plan właściwego nakierowania matczynej uwagi. Gdy jeszcze raczkował, pokazałem mu, jak fajnie się wkręca śrubki do kontaktu. Szybko załapał i mama przez kolejny miesiąc praktycznie nie spuściła go ani razu z oka. Potem robiliśmy wodospad w muszli klozetowej i od kiedy wrzucił tam jej szczoteczkę do zębów, musiała cały czas pilnować łazienki. A i tak najlepsza okazała się porcelana, którą mama dostała od babci Stasi w prezencie ślubnym. Od zawsze ma fioła na jej punkcie. Postawiła ją na najwyższej półce w szafce w pokoju rodziców, w dodatku za przesuwaną szybką. Sądziła, że Brachol nie dosięgnie. I nie dosięgnąłby, gdybym mu nie pokazał, że wystarczy pod nogi krzesła podłożyć *W pustyni i w puszczy* i trzy tomy *Potopu*. Wiecie, jaki piękny dźwięk wydaje porcelanowa filiżanka, kiedy huknie się nią o parkiet? O wiele fajniejszy, niż kiedy zrzuci się ją na dywan. Wtedy po raz pierwszy wpadłem na genialny sposób zarabiania i zasugerowałem mamie, że mógłbym przez chwilę popilnować brata ze znacznie większym zaangażowaniem, gdyby dorzuciła mi się do roweru. Marzyłem wtedy o własnym pelikanie, Krzysiek takiego dostał od swojego taty i od czasu do czasu dał mi się nim karnąć, ale to nie to samo co własny rower. Mama w pierwszej chwili zupełnie mnie zignorowała, ale dwa-dni-spędzone-na-pilnowaniu-Brachola później weszła do mojego pokoju i zapytała z ciężkim westchnieniem:

– To ile brakuje ci do tego roweru?

Nawet jakbym sprzedał całą moją kolekcję historyjek z gumy Donald i puszek po niemieckich piwach, które turyści z Berlina zostawiają po sobie w śmietnikach na Olszynce Grochowskiej, i tak nadal brakowałoby mi prawie całej kwoty. Ale najcenniejsza umiejętność negocjatora to poznać słabości przeciwnika. Z palcem w nosie wynegocjowałem nowiutkiego pelikana w zamian za dopilnowanie, by do końca roku nie stłukło się żadne naczynie z porcelanowego serwisu. Tego samego dnia zawinąłem w gazetę każdą filiżankę i każdy spodeczek, a na koniec włożyłem je do kartonu znalezionego na podwórku. Karton z pomocą taty umieściłem na samej górze meblościanki. Kiedy powiedziałem mamie, że wywiązałem się z umowy i że Brachol nawet nie spojrzy na serwis, a co dopiero mówić o tłuczeniu go, oznajmiła, że nie zamierza płacić mi ani złotówki. Nie trafiały do niej żadne argumenty, więc postanowiłem się rozpłakać. Zdaję sobie sprawę, że płacz to u faceta trochę obciach, więc stosowałem tę metodę jako ostateczność wiedząc, że na pewno zadziała. Tym razem nawet w tacie wzbudził pokłady męskiej solidarności.

– Co się tu dzieje? Skąd te ryki? Wraca człowiek z pracy do domu i chciałby chwilę odpocząć, a tu jak nie jeden się wydziera, to drugi ryczy! Co to za cyrki?! – zawołał, kiedy wparował do kuchni.

Zawodząc, jak pogrzebowa płaczka, opowiedziałem o jawnej niesprawiedliwości, a tata – ku mojemu zdumieniu – poparł mnie bez żadnych awantur:

– No, ma chłopak rację. Zawarliście umowę, on się wywiązał, teraz twoja kolej – powiedział mamie i przyklepując włosy, wyszedł z kuchni. Mrugnął przy tym do mnie.

Kilka dni później, kiedy wrócił z pracy, otworzył drzwi i wprowadził do środka coś, co na pewno nie wyglądało jak nowiutki pelikan, za to jak używany, porysowany rower złożony z niepasujących do siebie części. Ale był mój! Tylko mój! Po trzech latach ma jeszcze więcej niepasujących do siebie części, które dzięki tacie, genialnemu wynalazcy, razem tworzą jedyny w swoim rodzaju idealny rower. Na całym Grochowie nie ma nikogo, kto by mnie prześcignął. Nawet Gruby przygląda mu się z zainteresowaniem, chociaż pewnie lata świetlne minęły od chwili, kiedy sam wsiadł na rower. Raz przejechał się na wrotkach Piotrka, wiecie, takich doczepianych do butów za pomocą pasków, przejechał na nich pół podwórka i zatrzymał się na własnym parkanie. Posikaliśmy się wtedy prawie ze śmiechu, no i potem do końca lata musieliśmy schodzić mu z oczu.

Ten parkan postawił sobie pewnego dnia, rzecz jasna nie pytając nikogo o zdanie. Wybrał najlepsze miejsce: z drzewem rzucającym cień i kawałkiem wkopanej w ziemię idealnie płaskiej betonowej płyty, która cudownie nagrzewała się od słońca, i przesiadywał tam, gdy tylko pozwalała na to pogoda. Ze

skrzynki po mleku zrobił sobie stolik, na którym zawsze stały jakieś butelki, chyba nie po mleku. W zeszłe wakacje wyniósł sflaczałe coś i położył na płycie, a jego prawa ręka, Jarek, który też mieszka na parterze, drzwi obok Grubego, przyniósł pompkę i zaczął pompować. Jarek jest chudy i niski, wygląda jak siódmoklasista z brodą i baczkami i każde zdanie kończy: „nie?". Mówi na przykład: „Ale dziś gorąco, nie? No i poszłem ci ja do tego sklepu, nie? A tam drogo jak w Peweksie, nie?". Na szczęście przy Grubym bywa raczej małomówny, więc przez całą godzinę pompowania nie odezwał się ani razu. A kiedy zdyszany i cały czerwony na twarzy wreszcie skończył, sflaczałe coś okazało się basenem ogrodowym, z którego w najlepsze popijał sobie wodę Olaf, wielki pies Grubego. Przyglądaliśmy się temu w milczeniu, stojąc po drugiej stronie parkanu i ociekając potem. Słońce było wysoko na niebie i prażyło niemiłosiernie, a rozgrzane do czerwoności płyty parzyły nas przez trampki. Płyty były tylko trzy, ale za to w różnych miejscach podwórka – zabezpieczały otwór do wielkiego starego szamba, które kryło się pod naszymi stopami.

– Longin, po co mu basen? Przecież jest za gruby, żeby podnieść nogę i wejść do środka. – Krzysiek mówił tak, jakby marzył teraz tylko o tym, by znaleźć się po drugiej stronie płotu i mu pomóc.

– A może wlał tam tę śmierdzącą wodę ze swoich butelek i będzie mógł ją teraz pić prosto z basenu? – Piotrek odezwał się z rozmarzeniem w głosie. Pewnie dałby teraz wszystko za możliwość wykąpania się w zimnej wodzie.

– Głupi jesteś, to nie woda, tylko bimber – powiedział Damianek i normalnie dałbym mu strzała w dziób za to wymądrzanie się, ale było zbyt gorąco i nie chciało mi się. A poza tym miał rację. To był bimber, czyli taki alkohol, który nasi tatusiowie od czasu do czasu sami robią w kuchni. Używają wtedy takich śmiesznych gumowych rurek i mnóstwa cukru, zamykają wszystkie okna, żeby sąsiedzi się nie dowiedzieli, i nie pozwalają nam o tym wspominać w szkole. Nauczyciel chemii też nie pozwala nam wspominać rodzicom o swoim laboratorium na zapleczu.

Gruby usłyszał, jak mówimy o jego butelkach, i wystarczyło, by machnął ręką, a już jego krwiożercze bydlę zwane dla niepoznaki psem, ale bardziej przypominające połączenie bobra i byka, rzuciło się w naszą stronę. Odskoczyliśmy jak oparzeni od parkanu i zwialiśmy do bramy, jedynego miejsca, gdzie było w miarę chłodno. Krzysiek oparł się o otwarte skrzydło metalowych drzwi, które drgnęło z mrożącym krew w żyłach jękiem. Dokładnie ten sam potępieńczy jęk słyszę kilkadziesiąt razy dziennie w moim pokoju, dokładnie dwa piętra nad bramą.

– Wyzwanie? – rzucił i palcem wskazującym wskazał sufit.

Wiedziałem, że nie chodzi mu ani o mieszkanie Piotrka, które znajduje się tuż nad bramą, ani o moje, piętro wyżej. Nie, Krzysiek mówił o strychu. I chociaż tego dnia było tak gorąco, że roztapiały się gumowe podeszwy trampek, przeszedł nas dreszcz.

Właśnie tamtego lata na strychu wydarzyło się coś, co zmieniło całe moje życie.

# ROZDZIAŁ DRUGI

**PAMIĘTAM TAMTEN DZIEŃ**, jakby to było dziś.

– Martuś, rozwiesisz to? – Mama trzymała na rękach małego, wrzeszczącego, kopiącego, gryzącego i wiecznie usmarkanego potwora. Wyglądała tak, jakby przed chwilą wysiadła z pociągu A, który wyjechał ze Szczecina i dotarł aż do Krakowa, a potem przesiadła się do pociągu B, który udał się w kierunku Gdańska. Facet od matmy byłby ze mnie dumny! A mówiąc wprost, wyglądała na zmęczoną. Na podłodze tuż przed nią stała miska z mokrymi pieluchami. Pociągnąłem nosem, na szczęście były wyprane. Potwór wpatrywał się we mnie z uśmieszkiem wyższości. Pewnie, miał wtedy dwa lata, mógł sobie używać życia. Ja miałem siedem, powinienem być dzieckiem, o które wszyscy się troszczą, kochają je i hołubią, które siedzi sobie po ciężkim dniu spędzonym w szkole i przegląda komiksy, a tymczasem byłem tu tylko od ciężkich robót. W dodatku miałem wieszać jego pieluchy! I to na strychu, którego nigdy nie lubiłem. No dobra, nie będę ściemniał: bałem się go. Wszyscy się baliśmy.

Wejście na strych znajduje się dokładnie nad naszym mieszkaniem. Kiedy przekręca się klucz w zamku i naciska klamkę, ze środka na korytarz wylewa się ciemność. A wraz z nią lepkie, gorące powietrze, pachnące jak nasza pralka Frania, do której tata raz wrzucił zasikane spodnie zimowe Brachola i zapomniał o nich na kilka dni. Kiedy już sobie przypomniał, w całej łazience śmierdziało tak, że mama oznajmiła, że się wyprowadza. Nie wyprowadziła się w końcu. Zrobił to zapach, który przeniósł się na strych. Zawsze kiedy tam wchodziłem z mamą, pomóc jej rozwiesić pranie, albo z tatą, żeby jesienią zrobić porządek w kartonach z butami, albo latem po rakietki do ping-ponga czy nadmuchiwany materac do pływania na Wiśle, zaraz za drzwiami musiałem zatykać nos. Po lewej stronie na ścianie znajduje się włącznik światła, na który trzeba uważać, bo jak się źle dotknie, to kopie prądem. Zamiast lampy na samym środku zwisa z sufitu żarówka na długim kablu i tam też rozwieszone są sznurki do wieszania prania. Każdy lokator naszej kamienicy ma swój sznurek. Szczęśliwie nasz wisi najbliżej żarówki. Światło migocze, ale przynajmniej da się odróżnić skarpetki taty od różowego szlafroczka pani Magdy, na którego widok mama zawsze fuczy pod nosem. Cała reszta strychu tonie w ciemnościach, więc żeby znaleźć rowery, wrotki, hula-hoopy, rakietki, słoiki, garnki do bigosu, zimowe ubrania, młotki, gwoździe, deski parkietowe, łóżeczka dziecięce i całą resztę przydatnych rzeczy, która się tam znajduje, trzeba mieć przy sobie latarkę albo świeczkę.

Tak, to było straszne miejsce. Ale tylko tamtędy, przez małe metalowe drzwiczki w suficie, dało się dostać na dach, na który uwielbialiśmy wychodzić z chłopakami. Czuliśmy się wtedy jak zdobywcy Mount Everestu, chociaż od ziemi dzieliły nas tylko dwa piętra. Kiedyś nawet Krzysiek podszedł do samej krawędzi i splunął w dół, próbując trafić w parapet Grubego, ale ja się nigdy nie odważyłem. Bałem się, że mnie zdmuchnie. Już na trzy kroki od brzegu dachu miałem nogi jak z waty i zawroty głowy. Nikomu nigdy o tym nie mówiłem, więc wy też nie mówcie. No, ale poza tym dach był super. Był z nim tylko jeden problem. A w zasadzie dwa. Pierwszy – nie wolno nam było się tam bawić. Drugi – żeby się na niego dostać, trzeba było przejść przez przerażającą ciemność strychu. W dodatku chłopaki mówili, że tam się coś czai w kątach. Szura, gniewnie pochrząkuje i nigdy nie spuszcza wzroku z ludzi, zakłócających jego spokój. Wcale nie coś, tylko ktoś. On. I ja go poznałem właśnie tego dnia, kiedy mama wysłała mnie z miską pełną pieluch.

**KIEDY BYŁEM NIEGRZECZNY**, czyli według taty zawsze, według mamy zazwyczaj, babcia najpierw groziła mi palcem, a potem podnosiła go do góry, mówiąc:

– Ty lepiej uważaj, On tam jest i patrzy teraz na ciebie.

A później z reguły dodawała, że jestem szatańskim nasieniem, będę się smażył w ogniu piekielnym i na pewno nie dostanę nic od Mikołaja pod choinkę. Jak zapewne się domyślacie, im bliżej świąt, tym bardziej przejmowałem się Mikołajem, chociaż przestałem w niego wierzyć bardzo wcześnie – nigdy nie przyniósł mi tego, co chciałem, więc skreśliłem go z mojej listy. Jednak On nie dawał mi spokoju. Nie podobało mi się wcale, że przesiaduje nad nami na strychu i podsłuchuje mnie przez sufit. A wieczorami, kiedy z głębi mieszkania płynął szmer ściszonego telewizora i głuche stuknięcia, bo znikał obraz i tata próbował pięścią poprawić antenę, a ja próbowałem zasnąć na wąskim łóżku, trząsłem się ze strachu. On mógł w każdej chwili zejść, może stoi właśnie na wycieraczce i tylko czeka, aż rodzice zasną? A potem wejdzie i przemieni ich w wampiry, a oni zjedzą mnie żywcem na śniadanie.

No dobra, teraz, kiedy mam już dziesięć lat, nie wierzę w takie bzdury, ale tamtego dnia miałem siedem, w dodatku było to 21 lipca 1984 roku o godzinie 7.07. Widzicie te siódemki? Zamknąłem za sobą drzwi do mieszkania z napisaną kredą cyfrą siedem (bo ktoś ukradł nam numer z blaszki) i z miską tetrowych pieluch (jak się później okazało, było ich dwadzieścia siedem!) ruszyłem na górę. Żeby nie myśleć o tym, że za chwilę wejdę tam samodzielnie po raz pierwszy i że pewnie już nigdy z tego strychu nie zejdę, bo On złapie mnie długą kościstą ręką za kark i wbije mi zęby w szyję, zacząłem głośno liczyć. Zawsze mnie to uspokaja. Poza tym mam słabość do siódemek, którą tato nazywa obsesją, a babcia przy tym zawsze robi znak krzyża. Kiedy się zorientowałem, że doliczyłem do stu i wciąż stoję pod drzwiami strychu, zdecydowałem: teraz albo nigdy! I wszedłem.

Wiedział, że idę, czekał na mnie tuż za drzwiami, ale oczywiście, gdy tylko je otworzyłem, ukrył się w mroku. Włączyłem światło, kopnął mnie prąd i pobiegłem pod żarówkę. Wieszałem pieluchy, wypatrując go w ciemnościach i prawie wrzasnąłem ze strachu, kiedy poczułem na plecach jego palce.

– Ej, tak się nie robi. Chcesz, żebym dostał zawału i umarł ci tu na oczach? – wydusiłem z siebie półgłosem, po czym zmartwiałem: bo co, jeśli właśnie o to mu chodzi?! – Słuchaj, ja tu sobie powieszę te pieluchy i nie będę ci przeszkadzał, dobra? Już się stąd zmywam. O, zobacz, zostały mi tylko trzy. Ale wiesz, że to nie moje, nie? – dodałem zaniepokojony. Co

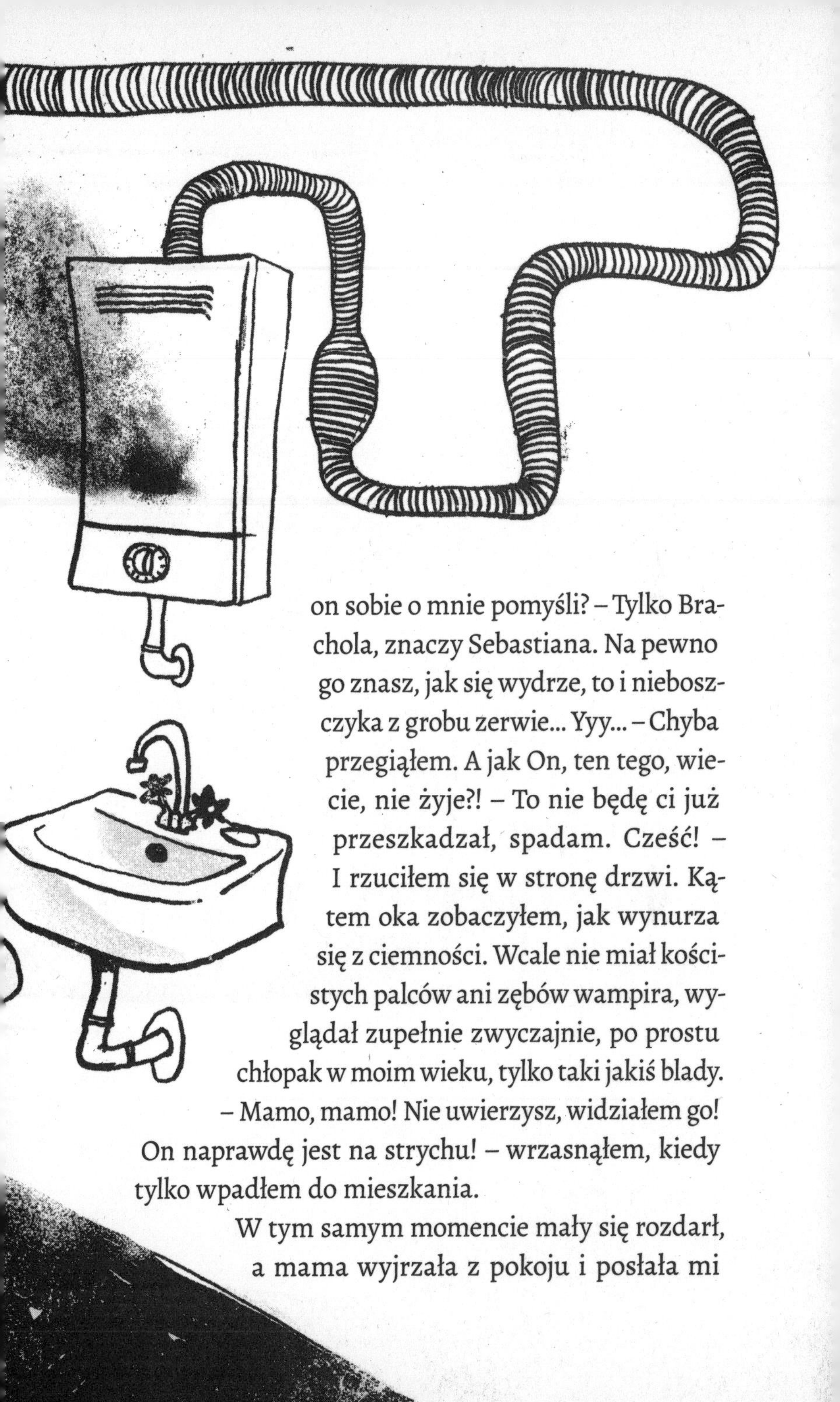

on sobie o mnie pomyśli? – Tylko Brachola, znaczy Sebastiana. Na pewno go znasz, jak się wydrze, to i nieboszczyka z grobu zerwie... Yyy... – Chyba przegiąłem. A jak On, ten tego, wiecie, nie żyje?! – To nie będę ci już przeszkadzał, spadam. Cześć! – I rzuciłem się w stronę drzwi. Kątem oka zobaczyłem, jak wynurza się z ciemności. Wcale nie miał kościstych palców ani zębów wampira, wyglądał zupełnie zwyczajnie, po prostu chłopak w moim wieku, tylko taki jakiś blady.

– Mamo, mamo! Nie uwierzysz, widziałem go! On naprawdę jest na strychu! – wrzasnąłem, kiedy tylko wpadłem do mieszkania.

W tym samym momencie mały się rozdarł, a mama wyjrzała z pokoju i posłała mi groźne spojrzenie numer trzy. Obudziłem go. Jasne, mógłbym się zadławić chińską gumką do mazania (ma fantastyczny landrynkowy smak!), mógłby nawet tuż koło mnie eksplodować nasz telewizor, a oni nawet by tego nie zauważyli, ale wystarczy, że Sebuś obudzi się z rykiem, i już mam przekichane. Wrzuciłem miskę do łazienki, ale ona zamiast wsunąć się pod wannę, zahaczyła o odstającą płytkę i walnęła głucho w ścianę, odłupując z niej kawałek czerwonej farby. Nie mam pojęcia, kto wybierał kolor do łazienki, ale musiał mieć chyba mordercze myśli. Podłoga w czerwono-białe płytki, czerwone ściany, osmalony biały piecyk gazowy, z którego od czasu do czasu buchał taki ogień, że kilka razy spłonęły ręczniki, a raz nawet osmaliło tacie brwi, i do tego szafka w kolorze pieluchy Brachola w chwilę po jej użyciu. Podobno mama kupiła tę szafkę tylko dzięki mnie. Wiecie, wtedy w sklepach było jeszcze mniej niż teraz i żeby cokolwiek kupić, trzeba było mieć ciocię albo wujka pracujących na przykład w sklepie spożywczym, jak mama Piotrka, której siostra sprzedawała w supersamie. Dalej tam pracuje, dzięki temu zjadłem u niego pierwszego w swoim życiu banana! Był brązowy, miał czarne plamy i rozłaził się po obraniu ze skóry, ale w końcu banan to banan. Nie był tak dobry jak pomarańcze, które czasami mama przynosi do domu, jak „rzucą" do sklepu. Szkoda, że tak rzadko rzucają, bo są naprawdę niezłe. No więc kiedy mama była ze mną w ciąży, do sklepu rzucili tapczany. Powiedziała jej o tym pani Magda i pobiegła zająć miejsce w kolejce. Zanim mama z wielkim brzuchem (no wiecie, już wtedy byłem całkiem długi) dotoczyła się do sklepu, okazało się, że nie ma już tapczanów, ale za to zostały szafki w sraczkowatym kolorze. I jak sprzedawczyni zobaczyła mnie, a raczej brzuch mamy, to pozwoliła jej wejść bez kolejki. Podobno ludzie strasznie się zdenerwowali, bo stali tam już kilka godzin, ale mama zapytała uprzejmie dwóch panów, czy w zamian za przyniesienie szafki do domu, nie zechcieliby przyjąć tatowego bimbru. Panowie z ochotą się zgodzili i tak szafka trafiła do naszej łazienki. Potem jeszcze wiele razy pomagałem mamie w zakupach – stanie w kolejkach było naprawdę fajne! Można było przebiegać między nogami ludzi, pluć im do siatek, kiedy nie patrzyli, i wrzeszczeć tak długo, aż nas przepuścili. Mama krzyczała na mnie w sklepie, ale gdy tylko wychodziliśmy z dwiema paczkami kawy albo z papierem toaletowym, uśmiechała się z wdzięcznością i głaskała mnie po głowie. No, ale od kiedy pojawił się Brachol, mama chodzi na zakupy z nim. Podobno jest bardziej skuteczny, bo uśmiecha się do ekspedientek.

– Zasnął wreszcie – westchnęła mama, wchodząc do kuchni. – Nie możesz tak wpadać i krzyczeć, ile razy ci mówiłam?

Zamierzałem poobrażać się na nią trochę dłużej, ale tak bardzo chciałem opowiedzieć jej o chłopcu ze strychu, że nie wytrzymałem.

– Babcia miała rację! On naprawdę przesiaduje na górze. Widziałem go tam przed chwilą! Chyba chciał zagadać, ale się trochę przestraszyłem.

– Chryste Panie, kto ci się przyglądał?! Nie zrobił ci nic? Nie proponował cukierków? Przecież mówiłam, że nie wolno rozmawiać z obcymi!!! – Mama wyglądała, jakby chciała pójść na górę z wałkiem do ciasta i złoić mu skórę, więc spokojnie wszystko jej wytłumaczyłem. Spojrzała na mnie dziwnie, przyłożyła mi dłoń do czoła i powiedziała, że na wszelki wypadek zaparzy czarny bez do picia i że mam się wcześniej położyć. A wieczorem, kiedy już z latarką pod kołdrą oglądałem *Tytusa, Romka i A'Tomka,* opowiadała tacie ściszonym głosem, że chyba za szybko rosnę i coś poprzestawiało mi się w głowie. No wiecie co, jeszcze nikt nigdy mnie tak nie obraził! Chciałem się zbuntować, wyskoczyć z łóżka i oznajmić, że sobie wypraszam, gdy tata powiedział, że trzeba mnie zabrać do lekarza albo wziąć na „męską rozmowę" i wybić z głowy zmyślanie. Po namyśle postanowiłem więc nikomu już nie wspominać o chłopaku ze strychu. Za to poszedłem na górę następnego dnia i jemu opowiedziałem całą tę historię.

**KIEDY TYDZIEŃ PÓŹNIEJ** zaprosiłem go do siebie, byliśmy już kumplami, no i wiedziałem, jak się nazywa. Albert. Nigdy nie znałem osobiście żadnego innego Alberta, ale to imię zawsze kojarzyło mi się z ponurym lokajem w jakimś zamczysku zamieszkanym przez starego hrabiego i jego psy. Chyba kiedyś widziałem film, w którym było coś takiego. Nieważne. W każdym razie to imię doskonale pasowało do kogoś, kto przez całe życie ukrywa się przed resztą świata na strychu.

Zanim weszliśmy do mieszkania, zapoznałem Alberta z kilkoma zasadami: po pierwsze, nie wolno ruszać komputera taty. Tata ma obsesję na punkcie atari – kupił go za trzynastkę, taką specjalną premię w pracy, i postawił koło łóżka. Podobno ostatnie, co robi przed snem, to wyjmuje rękę spod kołdry i poklepuje komputer. Nie wiem, nie widziałem, ale mama mówi tak zawsze, kiedy się posprzeczają. Atari stoi na stoliku na kółkach dokładnie pośrodku pomiędzy wersalką rodziców a parapetem, więc trudno się tam niepostrzeżenie dostać. Raz próbowałem o świcie, kiedy tata wydawał z siebie dźwięki zepsutego wentylatora, ale obudził się, zanim zdążyłem wcisnąć przycisk startu. I tak sam w nic bym nie pograł, bo tata chowa gdzieś joystick i daje mi go tylko wtedy, gdy siedzi obok. Zasada numer dwa – o komputerze już mówiłem? Wychodzi na to, że w naszym domu obowiązuje tylko jedna zasada: nie wolno dotykać atari bez pozwolenia. I właśnie dlatego zaprosiłem Alberta do siebie – nigdy jeszcze nie grał na komputerze! Najpierw jednak, korzystając z tego, że mama była z Bracholem na spacerze, oprowadziłem go po mieszkaniu.

– Uważaj na górne szafki, potrafią się same otworzyć, kiedy staniesz przed nimi, bo podłoga pod linoleum jest krzywa. Nadepniesz, szafka się przechyla i drzwiczki zatrzymują się na twoim czole – wyjaśniłem, jak tylko weszliśmy do kuchni. – Tu nie ma nic ciekawego: na lewo drewniany stół i cztery krzesła, na prawo zlewozmywak, blat, kuchenka gazowa i szafki wypełnione mlekiem w proszku dla małego, bo w zeszłym tygodniu rzucili je do sklepu i mama kupiła chyba milion puszek. Widzisz lodówkę na końcu kuchni? Otóż to wcale nie koniec, tam dopiero zaczyna się najlepsze! Tadam! Witaj w moim pokoju! – wrzasnąłem i odtańczyłem indiański taniec, kiedy weszliśmy za lodówkę. Chyba nie zrobiło to na nim wrażenia, bo nic nie powiedział.

Staliśmy ściśnięci, normalnie mieszczą się tu tylko dwie osoby, trzecia mogłaby ewentualnie położyć się na podłodze, ale i tak musiałaby wtedy podkulić nogi. Mój pokój jest arcydziełem taty. Wiecie, tata potrafi zrobić wszystko z pudełka po zapałkach i jednego gwoździa. I zrobił mi łóżko, które na dzień składa się i przymocowane do ściany służy za tablicę do przyklejania rysunków, kartek pocztowych i opakowań po gumach. Na tej samej ścianie pod oknem znajduje się biurko, czyli opuszczany wąski blat, przy którym mogę odrabiać lekcje, jeśli tylko wcześniej opuszczę łóżko, żeby na nim usiąść. A nad łóżkiem mam półki z komiksami, żołnierzykami i figurkami z Muppetów. Kiedyś miałem też Pszczółkę Maję i Konika Polnego Filipa, ale chyba Brachol mi je zwędził, bo nigdzie nie mogę ich znaleźć. Zresztą i tak byłem już na nich za stary.

Ściany pomalowane są na biało, mama twierdzi, że to optycznie powiększa mój pokój, ale wcale nie ma tu przez to więcej miejsca. Właściwie wystarczy zrobić jeden krok, żeby przejść nad rozłożoną na wykładzinie kolejką i wejść prosto do kuchni. Mama wolałaby, żebym złożył tory kolejki, ja też nie miałbym nic przeciwko temu, ale dopiero co dostałem ją od taty na urodziny i jeszcze trochę czasu minie, zanim

znudzi mu się bawienie nią. Z kuchni wychodzi się do długiego i wąskiego jak kiszka przedpokoju – po prawej są drzwi wejściowe, po lewej pokój rodziców, a pośrodku łazienka, która nie zainteresowała wcale Alberta. Obrzucił tylko spojrzeniem krwistoczerwone ściany i z uznaniem zerknął na odłupany przeze mnie kawał farby. U rodziców najbardziej zafascynował go telewizor, chociaż to zwykły rubin, który raz pokazuje wszystko w zielonym kolorze, a raz w czerwonym. Stoi na szafce naprzeciwko wersalki, dzięki temu w sobotnie wieczory siadam między mamą a tatą i oglądamy westerny, jedząc obłędnie słodki blok czekoladowy, który studzi się od rana w kuchni.

– Mama zawsze robi go w sobotnie poranki z margaryny, kakao, cukru i mleka w proszku. Jak się to wszystko wymiesza, to po godzinie pachnie czekoladą w całym domu. Zresztą sobota jest już jutro, sam się przekonasz. Może nawet udałoby się obejrzeć odcinek *Czterech pancernych i psa*? Puszczają go zaraz po *Teleranku*. Pancerni jeżdżą bajeranckim czołgiem i mają psa Szarika, zobaczysz!

Zastanawiałem się, czy nie skombinować jakiegoś przebrania dla Alberta. Mógłbym poprosić babcię albo dziadka, żeby zrobili dla niego czarny kostium z maską, i przebrać go za Krzyśka przebranego za Zorro. Krzysiek jest co prawda grubszy od Alberta, ale jakby wypchać kostium watą, rodzice na pewno by się nie zorientowali. Na szczęście problem rozwiązał się sam. Akurat kiedy włączałem atari, otworzyły się drzwi wejściowe. Zamarłem z palcem wskazującym na włączniku, Albert skinął głową w stronę przedpokoju. Tak, też to usłyszałem. Ciężkie kroki Brachola, który wciąż miał problemy z zachowaniem równowagi, więc chodził jak słoń.

Koło wersalki od strony drzwi stało jego łóżeczko zasypane stertą uszytych przez mamę pluszaków. Zanim Albert zdążył się tam schować, mały wszedł do pokoju, zaseplenił coś radośnie na mój widok i podbiegł do komputera. Zupełnie nie zwracając uwagi na mojego kumpla!

– Kochanie, wiesz, że nie wolno ci dotykać komputera bez pozwolenia – odezwała się mama z przedpokoju.

– Ja tylko chciałem pokazać mojemu... – nie dokończyłem, bo mama wparowała do pokoju i porwała na ręce Brachola.

– Ty mały łobuziaku! – roześmiała się, kiedy piszcząc, pokazywał na komputer, i spojrzała na mnie. – Martuś, bardzo się cieszę, że pokazujesz bratu, jak się bawisz, ale zasada jest zasadą. Poza tym – dodała już poważnym tonem – coś wam się może stać. Wystarczy krótkie spięcie i może cię wciągnąć do środka! Podobno to właśnie stało się z...

Przestałem słuchać. No wiecie, trudno traktować poważnie własną mamę, kiedy wymyśla takie bzdury. Zastanawiało mnie co innego: stała tuż koło Alberta, nawet spojrzała w jego kierunku, oglądając się za Bracholem, który zajął się wyrywaniem uszu z pluszowego królika, ale zupełnie jakby go n i e  w i d z i a ł a.

– Mamo, możemy się teraz pobawić w moim pokoju?

– Ale przecież nie lubisz, jak Sebuś tam wchodzi? – zapytała zdumiona. Po chwili jednak dodała: – To znaczy tak, oczywiście, weź go i idźcie się pobawić. Razem.

Aha! Miałem rację, ona naprawdę go nie widzi. Ale czad! Mój przyjaciel jest niewidzialny!

Tylko kto mi teraz uwierzy?

# ROZDZIAŁ TRZECI

**OD TRZECH LAT** Albert mieszka razem ze mną. Nauczyłem się spać przy samej krawędzi łóżka, żeby się zmieścił, na szczęście nie zajmuje dużo miejsca. Poza tym nikomu nie przeszkadza, rodzice nie narzekają, że za długo myje zęby, i nie potrzebuje swojego klucza, bo albo siedzi w domu i ogląda telewizję, albo chodzi ze mną do szkoły. Z kluczem i tak byłby problem. Mamy tylko trzy, a facet, który dorabiał klucze U Marleny, czyli w sklepie pani Marzeny, wyjechał do Francji. Dlatego nie możemy teraz zgubić kluczy – ja swój noszę na tasiemce na szyi. Nie wierzyłem mamie, kiedy opowiadała o tym facecie – jak to wyjechał? My nie możemy, bo Smutny Pan, który zawsze występuje w telewizji w ciemnych okularach i wojskowym mundurze, trzyma u siebie pod łóżkiem nasze paszporty, a on tak po prostu spakował się i pojechał?

– Kochanie, to nie do końca tak. Widzisz, on nie mógł normalnie wyjechać, więc uciekł. Ktoś mu pomógł przedostać się przez granicę. – Mama ciężko westchnęła i spięła włosy na czubku głowy, upodabniając się trochę do tropikalnej palmy, którą kiedyś widziałem na pocztówce. Tym bardziej że miała na sobie spódnicę w moim ulubionym zielonym kolorze. Chciałem jej nawet powiedzieć coś miłego, ale zorientowałem się, że zabiera się właśnie do robienia ohydnych zimnych nóżek, na których widok dostaję drgawek. A jak mam drgawki, nie jestem w stanie być miły nawet dla mamy. Jedliście kiedyś zimne nóżki? A próbowaliście meduzy wyrzuconej na bałtycką plażę? Bo ja próbowałem i zaręczam, że obie rzeczy smakują prawie tak samo. Z tym że meduza nie pachnie octem.

– To może my też uciekniemy na wakacje? Ja chcę zobaczyć tę wielką wieżę, którą pokazywał mi w książce stryjek! Pojedźmy tam! – Już byłem gotowy zacząć repertuar Brachola, czyli rzucić się na podłogę i walić w nią rękami, co zazwyczaj działa na rodziców, ale po pierwsze, w moim wieku już trochę nie wypada, a po drugie, tata spojrzał na mnie jakoś tak dziwnie i powiedział cichym głosem:

– Wiesz co, synu, ja też bardzo bym chciał pojechać do Paryża. Chciałbym pojechać dokądkolwiek, ale nie mogę. Na razie. Na pewno kiedyś się to zmieni i wtedy zwiedzimy cały świat.

Uwielbiam słowo „kiedyś" i często go używam – „kiedyś z pewnością będę grzeczny", „kiedyś umyję zęby, może jutro, dobra?", „kiedyś pójdę do szkoły, ale niekoniecznie teraz". Dlatego doskonale wiem, co tata ma na myśli. Poszedłem więc do pokoju, rozłożyłem łóżko i stolik, mruknąłem do Alberta, żeby się przesunął, i zacząłem pisać list.

Drogi Smutny Panie,
Na pewno nasze paszporty są ci do czegoś potrzebne, skoro trzymasz je pod łószkiem, może nawet nie umiesz bez nich zasnąć, jak Brachol bez królika z oderwanym uchem? Jeśli

tak, to może się wymienimy – ja ci dam królika, a ty dasz nam paszporty? Pszyślę ci kartkę pocztową z tą fajowską wierzą albo nawet – jeśli dorzucisz do tego kilogram pomarańczy – przywiozę ci stamtąd jakąś pamiontkę.

Z wyrażeniami szacónku.

Longin

Poprosiłem rodziców, żeby go wysłali, bo nie znałem adresu, ale mama oznajmiła, że mówi się „z wyrazami szacunku" i że najpierw muszę poprawić błędy ortograficzne, a tata dostał dziwnego ataku kaszlu i musiał szybko wyjść z kuchni. Albert pomógł mi z listem, według niego wieża pisze się przez ż, bo tak było napisane w albumie stryja, ale skąd on to może wiedzieć, przecież nie widział tej książki. Albert w ogóle czasami zachowuje się tak, że zupełnie go nie rozumiem. Na przykład nie lubi za bardzo Niki, która rok temu wprowadziła się z mamą do kamienicy Krzyśka, i włączyliśmy ją do naszej paczki. Wiem, jest dziewczyną, ale można jej to wybaczyć, bo pluje dalej ode mnie i ma najlepszego cela – zawsze trafi z procy w ogon Olafa. No i odkąd Damianek wyśmiał jej lalkę z plastikowymi włosami, dała mu w zęby i przestała ją ze sobą wszędzie zabierać. Poza tym chodzi w sztruksach i trampkach i wygląda jak my, więc co za różnica, czy dziewczyna, czy chłopak? Ale Albert kręci nosem, jak tylko Nika zjawia się na podwórku. Nie zrobiło na nim wrażenia nawet to, że jej mama pracuje na saturatorze i sprzedaje przed Uniwersamem na Wiatracznej wodę bąbelkową do picia, co jest fajowskie, bo czasami pozwala nam się napić. Próbowaliście kiedyś? Pyszne, nie? A jak się dosypie do tego oranżadę w proszku, to normalnie bomba! Podobno robi dziury w brzuchu, ale to chyba bujda, bo nie znam żadnego dziecka z dziurą w brzuchu. Poza tym przetestowałem suchą oranżadę na Bracholu – któregoś dnia wysypałem na talerzyk zawartość pięciu saszetek i kazałem mu wszystko zlizać. Przy trzeciej jęczał, że szczypie go w język, ale dziura się nie zrobiła. Potem niestety nakablował mamie i za karę zabrała mi na tydzień wszystkie resoraki. Następnym razem pokazałem mu z daleka komiks o Kajko i Kokoszu i obiecałem pożyczyć, jeśli zje łyżeczkę dżemu truskawkowego z ketchupem

i nikomu o tym nie powie. Dzięki temu wiedziałem, co napisać w wypracowaniu z polaka na temat: Człowiek uczy się na błędach. Facetka postawiła mi piątkę i wpisała do dzienniczka, że zaprasza mamę na rozmowę. Zerknąłem na numer strony – siódma! Jeszcze nie wiedziałem, co się wydarzy, ale na pewno byłem uratowany. I co się okazało po powrocie do domu? Mama się rozchorowała, tata musiał zająć się Bracholem i mną i wszyscy zapomnieli o dzienniczku. Na wszelki wypadek podrobiłem podpis mamy. Mówiłem wam już o mojej szczęśliwej cyfrze? Siódemka zawsze ratuje mi życie, nawet jeśli w wesołym miasteczku pierwszych sześć razy z rzędu nie trafiam w środek tarczy, to za siódmym wygrywam żeton na watę cukrową, i to całkiem za darmo! Moja najszczęśliwsza kombinacja to dwie siódemki – siódmego lipca jestem więc najszczęśliwszym człowiekiem na tej planecie. A przynajmniej byłem do tej pory.

Nic nie zapowiadało tej katastrofy. Po prostu wróciłem po tygodniu spędzonym z dziadkami na daczy, czyli w starym rodzinnym domu dziadka w Solcu nad Wisłą, a w drzwiach wita mnie podejrzanie uśmiechnięta mama. Nie żeby zazwyczaj nie cieszyła się tak na mój widok, po prostu była – wiecie – z b y t uśmiechnięta. Poszedłem walnąć bety do pokoju i zamarłem. Moje łóżko było przymocowane do tej samej ściany, ale zdecydowanie wyżej, a pod nim znajdowało się jeszcze jedno. W dodatku pojawiły się nowe półki z zabawkami Brachola. Niemożliwe. Umarłem i trafiłem prosto do piekła.

– Synuniu? – Mama ostatni raz zwróciła się tak do mnie ponad pięć lat temu, czyli przed urodzinami Sebastiana. – Wszystko w porządku? Nie ruszałam twoich rzeczy, wszystko

jest tak jak wcześniej, tylko trochę wyżej. W końcu zaraz kończysz dziesięć lat, jesteś już dużym chłopcem i... teraz nie będzie ci się nudziło samemu w pokoju, cieszysz się?

I zanim cokolwiek zdążyłem odpowiedzieć, zajęła się szorowaniem stołu w kuchni. Tata biegał między łazienką a pokojem, niby podlewając paprotki na parapecie, a Brachol rozłożony w MOIM pokoju siedział sobie przy MOIM biurku i rysował kredkami w MOIM zeszycie.

Poszedłem do przedpokoju, żeby mieć jednocześnie na oku oboje rodziców, i powiedziałem:

– Mamo, tato, musimy porozmawiać. Zaprosiłbym was na rozmowę do mojego pokoju, ale tak się składa, że ma on wielkość przedziału w PKP i nie zmieścimy się tam w trójkę. Aha, poza tym to nie jest już MÓJ pokój.

Mama dalej zawzięcie szorowała stół, nie podnosząc wzroku znad blatu, a tata nerwowo rozglądał się po pokoju – dużym, przestronnym pokoju, w którym nie było już łóżeczka małego ani jego zabawek.

– Macie u siebie teraz tyle miejsca, że spokojnie możemy porozmawiać u was – ciągnąłem, nie przejmując się ciszą.

– Wiesz, pomyśleliśmy o tym, że na pewno chciałbyś mieć swój komputer – zaczął nagle tata, a mama posłała mu zaskoczone spojrzenie. – Dlatego tak ulepszyłem wasz pokój, żeby znalazło się w nim miejsce na twoje własne atari.

Myślałem, że się przesłyszałem. Komputer? Dla mnie?! Albert stał za plecami taty i dawał mi rozpaczliwe znaki, żebym się zgodził. Poważnie? Za komputer mógłbym nawet zamieszkać na strychu! Ale ma się swój honor. I rozum. Zrobiłem płaczliwą minę. Skuliłem ramiona i zwiesiłem głowę.

– Z grami? W które będę mógł grać, kiedy tylko zechcę? – zapytałem cicho, pociągając nosem.

– Oczywiście! – wykrzyknął z ulgą tato i po chwili dodał poważnym tonem: – Jeśli najpierw odrobisz lekcje.

Następnego dnia razem zamontowaliśmy półeczkę na komputer i monitor, klawiatura już się nie zmieściła, więc trzyma się ją na kolanach. Albert prawie posikał się ze śmiechu, kiedy pomagałem tacie. Mówiłem wam, że tata jest złotą rączką? A wspominałem, że ja mam dwie lewe i w dodatku dziurawe? Zaczął uczyć mnie dawno temu, kiedy potrafiłem już utrzymać młotek, i nie zraził się, nawet kiedy najpierw tym młotkiem przywaliłem sobie w czoło, a chwilę później jemu w palec u nogi. Tata potrafi wszystko naprawić, nawet radio, które rozkręciłem śrubokrętem, ale za nic już nie zdołałem złożyć z powrotem. Nie potrafi tylko jednego – nauczyć mnie tej sztuki. Dziwnym trafem zawsze cieszy się, kiedy zaczynam mu pomagać, potem robi się coraz bardziej nerwowy, co chwilę puka się w czoło, a na końcu używa słów, których w żadnym wypadku nie wolno powtarzać. Tak jak ostatnio, kiedy składaliśmy samolot bojowy. Tata jest zapalonym modelarzem i co chwilę przynosi do domu nowe modele, które potem muszę sklejać razem z nim. W sumie to nawet fajne, lubię zapach kleju i farb modelarskich. No i kiedy pomagałem mu z tym samolotem, tak jakoś wyszło, że posmarowałem mu klejem palec wskazujący. Pech chciał, że próbował postukać się w czoło akurat tym palcem. Wiecie, jak to się skończyło?

**SKORO ZA KOMPUTER** musiałem oddać połowę mojego pokoju, postanowiłem wprowadzić nowe zasady – żeby było jasne, kto tu rządzi.

– Brachol! Cho no tu!

Przybiegł natychmiast z pokoju rodziców i zanim wpadł z impetem do środka, zatrzymałem go, tak jak ostatnio zatrzymał tatę milicjant, kiedy tata testował nasz nowy samochód. Wyciągnąłem dłoń i zawołałem: stop! Brachol zatrzymał się, tak jak tata przed milicjantem, tyle że nie użył żadnego brzydkiego słowa ani nie wyszeptał do mnie: „Tylko ani słowa mamie, jasne?". Tata wjechał wtedy na skrzyżowanie z drogi podporządkowanej i powinien ustąpić pierwszeństwa samochodom jadącym z lewej strony, ale tego nie zrobił. Tłumaczył panu milicjantowi, że to z emocji, bo dopiero co kupił auto od kapitana Chrupka (to jego szef w jednostce wojskowej, gdzie tata pracuje jako inżynier, choć zazwyczaj nikomu o tym nie mówi). Pan milicjant, usłyszawszy

nazwisko kapitana, trochę zbladł, przeprosił tatę i pozwolił nam jechać dalej. Ja zamierzałem być bardziej zasadniczy – zatrzymałem Brachola i pokazałem mu linię narysowaną białą kredą wzdłuż pokoju.

– Widzisz to? To granica, której nie wolno ci przekraczać. Wszystko po tamtej stronie linii jest moim terytorium, wszystko po tej – twoim. I tego się trzymajmy.

Po mojej stronie oprócz moich zabawek, moich książek i mojego blatu był jeszcze mój komputer, po jego stronie – zabawki, które wrzuciłem mu na łóżko, i nic poza tym.

– Jeśli chcesz wejść na moje terytorium, musisz wręczyć mi łapówkę – oznajmiłem i wdrapałem się na swoje łóżko, żeby poczytać *Marka Piegusa*. Od małego bawiłem się z kumplami w milicjantów i złodziei, stanie w wymyślonych kolejkach i wręczanie łapówek – to było dużo fajniejsze niż Fortuna, którą kiedyś dostałem od dziadków. Teraz wolimy grać na podwórku w pikuty, czyli grę, w której rzuca się nożem, ale mama się denerwuje, jak jej o tym mówię. Dlatego nie mówię. Brachol przyglądał mi się przez chwilę i sięgnął po mojego resoraka.

– Gdzie te łapy? Chcesz wziąć, zapytaj.

– Mogę?

– Nie. Chyba że najpierw zamkniesz się na dziesięć minut w łazience. Bez światła.

Brachol myślał i ostatecznie doszedł do wniosku, że warto poświęcić się dla mojego samochodu. Kiedy odprowadzałem go do łazienki, żeby zamknąć za nim drzwi i odmierzać czas, dodałem od niechcenia:

– Tylko uważaj na pająki, które siedzą pod wanną. Lubią wychodzić, jak jest ciemno.

Wiecie, Brachol jest pulchnym blondynkiem z niebieskimi oczami i trochę przypomina aniołki z obrazków rozdawanych przez siostrę na lekcjach religii. Pewnie dlatego tak bardzo lubią go panie w sklepach, w przedszkolu i te w naszej kamienicy. Pewnie dlatego też mama czasami patrzy na Brachola, a potem na mnie i wzdycha. Co ja na to poradzę, że on jest taki grzeczny i cacany? Staram się, jak mogę, żeby stał się taki trochę bardziej... normalny. Oczywiście wytrzymał w tej łazience zaledwie cztery minuty, potem zaczął walić w drzwi pięściami i musiałem go wypuścić. Rzecz jasna, nie dałem mu resoraka. A tego wieczora, kiedy zasypiał, opowiedziałem bajkę o zombiakach, które tak świetnie potrafią naśladować innych, że nigdy nie wiadomo, czy nasi rodzice to naprawdę nasi rodzice, czy też... Nawet nie dosłuchał do końca, tylko zabrał królika i pobiegł z nim do drugiego pokoju.

Puściłem oko do Alberta, który złośliwie zachichotał i przeskoczył na wolne łóżko, po czym obróciłem się na drugi bok, rozmyślając o tym dziwnym dniu. Dostałem własny komputer, a poza tym poznałem Bożenkę. Bożenka ma najpiękniejsze oczy pod słońcem. Nie tak piękne jak moja mama, ale prawie. Ma też fajną grzywkę, która podskakuje, kiedy Bożenka kręci głową. I taką marszczoną różową spódniczkę, jaką noszą baletnice, bo sama chodzi na balet. Bożenka uczy się w mojej szkole i chociaż jest w innej klasie, wszystkie chłopaki wiedzą, o której kończy lekcje, i zawsze chcą odprowadzić ją do domu. Dlatego codziennie ktoś komuś daje w dziób, co jest całkiem fajne. Przez to jeszcze nikomu nie udało się odprowadzić Bożenki, co też jest całkiem fajne, bo po dzisiejszym spotkaniu myślę, że to właśnie mnie się uda. Albert też tak sądzi i chociaż zaklina się, że wcale nie jest zazdrosny, to chyba jednak ściemnia. Przecież widziałem, jak się na nią gapił!

Jak do tego doszło? Otóż kiedy tata podłączył już mój komputer, mama wysłała mnie i Brachola po landrynki do sklepu pani Marzeny, która – tak się składa – jest mamą Bożenki. Wystarczy tylko wyjść z naszej bramy i przejść przez ulicę – sklep mieści się dokładnie naprzeciwko. Tuż przed wejściem do środka Albert stuknął mnie łokciem w żebro. Już chciałem się odwinąć, kiedy uniosłem głowę i za szybą sklepu zobaczyłem... Bożenkę. Albert wyszczerzył się do mnie porozumiewawczo, a ja przełknąłem głośno ślinę. Brachol pchnął drzwi i wszedł pierwszy, dygając w progu jak rasowy przedszkolak.

– Dzień dobry! – uśmiechnął się szeroko do pani Marzeny, która za ladą układała właśnie przed chwilą dowiezione rolki papieru toaletowego. Teoretycznie to był osiedlowy spożywczak, w którym kupowało się bułki, mleko i cukierki, ale pani Marzena lubiła mieć u siebie „rzeczy pierwszej potrzeby", jak sama mówiła. Pewnie dlatego przychodzili tam też panowie z pustymi butelkami, a wychodzili z pełnymi.

– Pani ma najlepse cuksy na świecie – zaseplenił Brachol, wlepiając gały w szklane słoje wypełnione landrynkami i miętówkami. Tuż obok na tekturowej tacy stały w rządku ciepłe lody, którym nie zaszkodziłby nawet czterdziestostopniowy upał. Pani Marzena w białym fartuchu z różowym kołnierzykiem poprawiła sobie sztywną od lakieru grzywkę, przechyliła się przez ladę i spojrzała z rozczuleniem na mojego brata, po czym powiedziała do córki:

– Zobacz, Bożenko, to najgrzeczniejszy chłopczyk, jaki mnie tu odwiedza.

A ona obrzuciła spojrzeniem najpierw mnie, potem Brachola i skinęła głową.

– No, fajny ten twój brat – rzuciła do mnie, mrużąc swoje niebieskie oczy, kiedy już wychodziliśmy z torebką pełną landrynek. Sebuś ciumkał galaretkę w cukrze, którą poczęstowała go pani Marzena. Farciarz. Chyba rozumiem, co mama ma na myśli, mówiąc, że mały jest bardziej skuteczny na zakupach niż ja. Spojrzałem na rozanielonego Alberta i wtedy mnie olśniło – odezwała się! Do mnie! Aż mi zaschło w gardle.

Czasami z młodszego brata bywają pożytki.

# ROZDZIAŁ CZWARTY

**MAMA POSZŁA DZIŚ** z Bracholem na szczepienie. Przez cały wczorajszy wieczór opowiadała mu historie o grzecznych dzieciach i miłych lekarzach, chociaż wszyscy dobrze wiemy, że grzeczne dzieci i mili lekarze to bujda na resorach. Dlatego rano powiedziałem mu, że szczepienie strasznie boli, jakby ktoś wyrywał palce obcęgami, ale mama usłyszała i teraz mam przechlapane. Zabrała mi wszystkie komiksy i co ja teraz będę czytał? Chyba jednak zapiszę się do biblioteki, może uda się przemycić coś do domu. Szczepienie jest w przychodni, gdzie są zawsze długie kolejki, więc mama kazała mi po szkole iść do babci Kazi. Babcia Kazia i dziadek Aleksander są rodzicami taty i mieszkają bardzo blisko nas.

– Nie wiem, o której wrócimy. Zjesz obiad u babci i poczekasz tam na nas. Chociaż za karę nie powinieneś nic jeść do końca życia.

I miałyby mnie ominąć pierogi ruskie i pączki? Co to, to nie! Postanowiłem być supergrzeczny przez cały ranek i nawet wypiłem kubek ohydnego gorącego mleka. Nie znoszę go. Mama przynajmniej zdejmuje kożuch, ale w szkolnej stołówce wlewają mleko do kubków wielką chochlą, no i mnie zawsze trafia się kożuch. Na szczęście Krzysiek połyka go za mnie. Ja w ramach rewanżu wypiłem za niego płyn Lugola, do picia którego zmusili nas w zeszłym roku. To dopiero było paskudztwo, dziewczyny po nim rzygały jak koty, a jedna nawet zrobiła się biała jak ściana i facetka zwolniła ją z lekcji. To było wtedy, gdy w Czarnobylu wybuchła elektrownia jądrowa. Chcieliśmy z chłopakami nocować na podwórku, żeby sprawdzić, czy będziemy się świecić, ale mama zamknęła okna i kazała mi zostać w domu. Siedziałem wtedy przez kilka dni sam, Krzysiek nie mógł wyjść ze swojej kamienicy, a Piotrkowi nie wolno było z nikim się widywać, bo znowu miał kropki na rękach. A kiedy już poszliśmy do szkoły, zapędzili nas do stołówki i kazali wypić to świństwo. Podobno po to, żeby się nie rozchorować. Ale Krzysiek nie wypił i wcale nie był chory, za to ja po dwóch plastikowych kieliszkach tego okropieństwa złapałem anginę i połowę maja spędziłem w łóżku. Babcia robiła wtedy specjalnie dla mnie pączki. Jeśli nie jedliście pączków mojej babci, to nie macie zielonego pojęcia, co to znaczy pączek. Dzięki nim udało się załatwić wiele spraw, które według rodziców były nierozwiązywalne. Na przykład wtedy, kiedy chcieliśmy z Krzyśkiem wysadzić szkołę i dyrektor strasznie się na nas rozzłościł (to długa historia, opowiem wam innym razem). Chciał nas wtedy wyrzucić ze szkoły, mama płakała, a tata krzyczał, że przynoszę mu wstyd, i zagroził, że przyleje mi paskiem, czego i tak nigdy by nie zrobił, ale lubił tak mówić. Nazywał to „męską rozmową". Tak jakby dyskusje facetów polegały na wymachiwaniu sobie nawzajem przed nosem paskami od spodni. Śmieszne. Podobnie jak ta afera z dyrektorem. O co tyle

hałasu? Przecież to tylko szkoła, bez niej życie byłoby fajniejsze. Babcia powiedziała wtedy, że skończę w poprawczaku, i kazała mi odmówić dziesięć razy pacierz, a potem zabrała się do robienia pączków. Następnego dnia razem z mamą zaniosły dyrektorowi całą ich furę, a my z Krzyśkiem wróciliśmy na lekcje. Udało mi się wtedy zwędzić jednego i podzieliłem się z moim najlepszym kumplem.

– Gdyby były trochę gorsze, to może by nas nie przyjęli z powrotem – westchnął Krzysiek, oblizując sobie palce.

Ale wtedy nie wydarzyłaby się masa fajnych rzeczy, no i nie przyjaźniłbym się już z Paciem, Mistrzuniem, Pisu

i Jacolem, z którymi chodzę do klasy. Razem z Krzyśkiem i Piotrkiem tworzą moją paczkę. Mówię o nich, że są moim gangiem, odkąd w telewizji zobaczyłem *Gang Olsena* – prześmieszny film o grupie włamywaczy nieudaczników. W mojej paczce też nie wszyscy są udani. Nieważne. W każdym razie dziś idziemy całym gangiem powłóczyć się po okolicy, to znaczy mieliśmy iść. No, oni idą, bo na mnie czeka babcia z obiadem.

– Czołem, chłopaki! – rzuciłem na pożegnanie, próbując ukryć smutek, i powlokłem się markotnie w stronę babcinego domu. Za rogiem dogonili mnie Krzysiek z Niką.

– Longin, czekaj, odprowadzimy cię.

Ucieszyłem się na ich widok, bo wiecie, droga do dziadków nie jest taka fajna. Mieszkają zaledwie dwie ulice od nas, zaraz za parkiem, przez który można przejść (kiedy idzie się z domu) albo go obejść boczną ulicą (kiedy idzie się prosto ze szkoły). Na tej bocznej ulicy mieszka Jacek Bez Ręki. Serio nie ma ręki, a poza tym kuleje, bo ponoć jako śliczny bobasek zachorował na jakąś tam chorobę. Teraz nie jest ślicznym bobaskiem, tylko starszym ode mnie chłopakiem i przy okazji wrednym matołem, którego wszyscy się boją. Nice, jak tylko się wprowadziła, obciął jeden warkocz, Pacia zrzucił z roweru, łamiąc mu rękę, a Mistrzuniowi ukradł deskorolkę, to znaczy pobił go i mu ją zabrał. Chociaż Mistrzunia trudno pobić, bo jest kapitanem klasowej drużyny i wygrywa wszystkie zawody. Tata kiedyś poszedł do taty Jacka Bez Ręki, ale wrócił zły, w dodatku z podbitym okiem. Od tamtej pory nie rozmawiamy w domu na ten temat, tylko mama czasem szeptem pyta, czy mnie odprowadzić do babci, czy sam sobie poradzę.

Krzysiek z Niką odprowadzili mnie pod kamienicę dziadków i poszli dalej. Wyglądali na bardzo zajętych rozmową, oni chyba nie...? E, nie, na pewno nie. To przecież Nika, która w ogóle nie przypomina dziewczyny, a już na pewno nie Bożenki.

– Ej, poczekajcie! – zawołałem za nimi. – Nie chcecie wjechać na dziesiąte piętro?

Odwrócili się i popatrzyli na mnie ze zdumieniem, a Krzysiek znacząco popukał się palcem w czoło.

– Dziesiąte piętro? Chyba w Pałacu Kultury? Mamy tam jechać w przyszłym tygodniu z klasą, nie pamiętasz?

– Pałac srałac. Ja mówię o prawdziwym wieżowcu! Tym! – I pokazałem palcem budynek, który świetnie było widać, bo jest całkiem blisko kamienicy dziadków.

Nika spojrzała na mnie z podziwem, co nawet mi się spodobało. Już chciałem się rozpędzić i oznajmić, że właśnie się tam wprowadzam, ale Krzysiek zarzucił mi wciskanie kitu.

– Że niby co? Otworzą nam drzwi i wpuszczą do środka, i pewnie jeszcze poczęstują lemoniadą?

– Ma się swoje sposoby. – Wzruszyłem ramionami. – To co, idziecie?

Nie pierwszy raz się tam zakradałem. Tyle razy wpadłem przy tym na dozorcę budynku, faceta z zezującym okiem i wielkim brzuchem wylewającym się zza paska, że poznałem jego zwyczaje. O tej porze jadł obiad w barze mlecznym, skąd udawał się prosto do baru piwnego. Bez problemu wjedziemy windą na ostatnie piętro, gdzie na korytarzu jest okno, z którego widać całą Warszawę. Nad nim jest wyjście na dach, ale niestety zamknięte. Klucz ma tylko dozorca,

a wiem to od jego syna Zenka. Zenek chodzi do mojej szkoły i jest przygłupem, już trzeci raz powtarza czwartą klasę.

Przebiegliśmy szybko przez trawnik dzielący kamienicę dziadków od wieżowca. Rosły tam co prawda drzewa, które trochę nas zasłaniały, ale i tak miałem nadzieję, że babcia nie wygląda akurat przez okno w kuchni i nie widzi, co właśnie robię. Przed wejściem do klatki na wszelki wypadek rozejrzałem się, żeby ocenić sytuację. Nikt nie nadchodził.

– Z prawej czysto – szepnął Krzysiek.

– Z lewej też – dodała Nika. – To co, wchodzimy? – Oczy tak jej błyszczały, że przez chwilę pomyślałem, że może jako dziewczyna niekoniecznie nadaje się na kumpla z paczki. W końcu paczka to chłopaki, wyzwania, łażenie po drzewach, plucie i zabawy nożem, a nie dziewczyny z błyszczącymi oczami. Wtedy Krzysiek sięgnął do klamki i musiałem go uprzedzić. To w końcu mój wieżowiec, nie? Wszedłem pierwszy, ale za to pozwoliłem im wcisnąć najwyżej umiejscowiony guzik w windzie. W kabinie jak zwykle trzęsło i między piątym a ósmym piętrem wysiadło światło, co wcale nie zrobiłoby na mnie wrażenia, gdyby nie to, że kiedy zrobiło się ciemno, Nika chwyciła moją dłoń. Normalnie zaschło mi w gardle. Bałem się poruszyć. Jakby mnie teraz ktoś zobaczył, to byłby wstyd na całą Warszawę! Kiedy dojeżdżaliśmy do dziewiątego, znów zrobiło się jasno i wtedy zauważyłem, że Nika trzyma też za rękę Krzyśka. Baby! On też udawał, że nic się nie wydarzyło. Na dziesiątym wysiedliśmy jak gdyby nigdy nic i zaprowadziłem ich prosto do okna. Widać było cały Grochów i Olszynkę, i Wisłę, i oczywiście Pałac. Pałac Kultury i Nauki widać chyba z każdego miejsca w tym mieście.

– E, Londyn, czego tu znowu szukasz?!

O nie, Zenek! Tylko on może pomylić moją ksywę ze stolicą Anglii.

– To mój budynek, jasne?! Trzymaj się od niego z daleka! Zaraz zawołam mojego tatę i da ci w dziób.

Nie, dzięki. Już dał, i to nie raz. Ostatnio prawie wyrwał mi ucho. Nic dziwnego, że jego syn ma takie odstające. Dałem znak Krzyśkowi i Nice, że zwiewamy, ale Zenek stał przy drzwiach do windy i blokował nam drogę. Zostały tylko schody – rzuciliśmy się w ich stronę i przeskakując po cztery stopnie, zbiegliśmy na sam dół. Zenek wsiadł do windy, pewnie myślał, że dotrze na dół przed nami, ale Nika w biegu zdążyła wcisnąć guzik windy na kilku piętrach. Winda zatrzymała się na szóstym, czwartym i pierwszym piętrze, a zanim dojechała na parter, zdążyliśmy już wybiec z wieżowca.

– Frajerze, turlaj się po tatusia! – wrzasnąłem pod klatką i puściliśmy się biegiem. Zwolniliśmy dopiero pod kamienicą dziadków, gdzie na krawężniku siedział już Albert i znacząco gapił się na zegarek. No wiem, miałem być wcześniej, ale nic nie mówił, że będzie tu na mnie czekał. Nika i Krzysiek poszli dalej, a ja i Albert rozpoczęliśmy pieszą wędrówkę na trzecie piętro kamienicy dziadków. Wciąż zasapany po ucieczce z wieżowca, z trudem wdrapywałem się na kolejne schody, które są jeszcze wyższe niż u nas. W ogóle tu wszystko jest inaczej – dziadkowie nie mają łazienki, więc myją się w kuchni w wielkiej białej misce, z której złazi emalia, a do toalety chodzi się na półpiętro. Bardzo lubię ten kibelek, na ścianach jest pełno pocztówek, które dziadek przypina pinezkami, i sztucznych kwiatów przyklejanych butaprenem przez babcię. A pod sufitem są półki ze starymi walizkami i stosem gazet. Spłuczka to taki długi, ciężki łańcuch i jak się go pociągnie, zaczynają drgać rury w całej kamienicy i najpierw słychać wielki łoskot, a potem leje się woda. No i lepiej tam nie wchodzić po dziadku, zwłaszcza kiedy zje zupę fasolową. W mieszkaniu jest na lewo duża kuchnia ze stołem, krzesłami, telewizorem i tapczanem, gdzie śpi babcia, a na prawo wchodzi się do pokoju, gdzie śpi dziadek. Dopiero dalej jest przejście do drugiego pokoju – pokoju stryja. I wszędzie stoją maszyny do szycia, kosze z gałgankami, materiałami i gigantycznymi szpulami nici, bo – wiecie – moi dziadkowie są krawcami. Dlatego moja babcia nazywa dziadka „Szpula", chociaż naprawdę ma na imię Aleksander.

– Nareszcie! Już chciałam dzwonić do twojego ojca! – powitała mnie babcia, kiedy przytuliłem się do jej podomki w kwiaty. Ma takie dwie i różnią się tylko kolorami, jedna jest niebieska, a druga fioletowa. Teraz miała na sobie fioletową, więc głową sięgałem do przedostatniego guzika. Kiedy nosi tę drugą, dosięgam ostatniego, najwyższego. Babcia oczywiście sama uszyła sobie te podomki, podobnie jak wszystkie ubrania. Chciała ubierać całą naszą rodzinę, ale stryjek mówi jej, że ma własny styl, a potem prosi po cichu dziadka, żeby coś mu uszył z materiałów, które sam sobie kupuje. Tata z kolei twierdzi, że w spodniach od babci za grubo wygląda. Tak naprawdę to wygląda jak Brachol, bo spodnie zazwyczaj kończą mu się pod pachami. W każdym razie od kiedy mama nie nosi sukienki uszytej przez babcię (tylko tata widział, jak w niej wyglądała, i długo się potem śmiał, a mama przestała się do niego odzywać), ubieramy się sami. Czasem rzucą coś fajnego do sklepu, czasem znajomi dostają paczki z zagranicy, a ostatnio nawet Gruby powiedział tacie na korytarzu, że ma cynk na superjeansy z Peweksu. Ale były za tanie i rodzice uznali, że pewnie kradzione. Najczęściej babcia przerabia dla mnie spodnie i koszule po tacie, bo jestem za wysoki i za chudy na normalne ciuchy.

– Babciu, przecież nie macie telefonu – odparłem, pakując się prosto do kuchni. Rzuciłem tornister na tapczan i klapnąłem na krzesło.

– Gdzie mi tu z tymi brudnymi łapami? Umyj najpierw i chodź do stołu. Pierogi czekają.

Babcia zawsze musi mieć wszystko na czas. Wystarczy

spóźnić się dwie minuty i już biegnie do sąsiadki, której mąż pracuje w wojsku razem z tatą (i dlatego mają telefon tak jak my), żeby wydzwaniać po wszystkich i pytać, czy coś się stało.

– Jak było w szkole? – zapytała, siadając ze mną przy pomalowanym na biało stole i przyglądając się, jak jem. – Nic dziś nie nawyrabiałeś? Pokaż dzienniczek.

Z babcią nie jest tak łatwo jak z rodzicami – zupełnie jakby miała radar, który włącza się zawsze wtedy, kiedy nie powinien. Może to ma coś wspólnego z jej wyglądem, przypominającym radiowy maszt? Jest prawie tak wysoka jak tata i chociaż ciągle narzeka, że za mało jem, to sama jest tak chuda, jakby w ogóle nic nie jadła. Tata twierdzi, że babcia

ma dobrą przemianę materii, czyli może jeść w nieskończoność i nie tyje, i że on to po niej odziedziczył. Patrząc jednak na jego brzuch, przypominający kształtem piłkę lekarską, którą kiedyś rzucaliśmy na wuefie, nabieram co do tego wątpliwości. Wyjąłem dzienniczek z tornistra i przesunąłem go palcem po stole. Babcia poprawiła okulary na nosie i zajrzała do środka. Przełykałem kolejne pierogi, zastanawiając się, czy dostrzeże dzisiejszą uwagę. Oczywiście, a jakżeby inaczej.

– „Żuje na lekcji gumkę koleżanki". – Babcia podniosła wzrok i spojrzała na mnie zdumiona, a Albert zaczął tak chichotać, że sturlał się z tapczanu.

– Oj, zaraz tam żuje. Byłem strasznie głodny, a jej gumka tak ładnie pachniała. Wiesz, babciu, jak marmolada, którą dajesz do pączków.

– Ale musiałeś na lekcji? – zapytała, kręcąc z niezadowoleniem głową. – I dlaczego byłeś głodny? Mama znowu nie zrobiła ci drugiego śniadania do szkoły?

Właśnie dlatego mama nazywa czasem babcię Panią Znowu, ale zabrania mi jej o tym mówić.

– Co z ciebie wyrośnie? Zobaczysz, skończysz w poprawczaku. Albo jeszcze gorzej.

Jeszcze gorzej? To chyba już tylko w piekle, ale nie przesadzajmy, czasami jestem jednak grzeczny, a grzeczni chłopcy nie idą do piekła. Poza tym regularnie wypijam w kościele wodę święconą, mam nawet słomkę specjalnie do tego celu, a przecież woda święcona chroni przed diabłami, no nie?

– Babciu, zobacz, jest sikorka! – Podskoczyłem na krześle na widok ptaszka z żółtym brzuszkiem na parapecie. Babcia uwielbia sikorki, właściwie to wszystkie ptaki oprócz gołębi, którym wypowiedziała wojnę. Codziennie o tej samej porze zostawia za oknem jedzenie i pilnuje, żeby żaden gołąb nie dostał nawet kawałeczka. Teraz jednak nie zwróciła uwagi na sikorkę, za to posłała mi groźne spojrzenie i powiedziała:

– Wiem wszystko. Znowu zakradłeś się do wieżowca, chociaż pan Bogdan wyraźnie ci zakazał.

– Kto to jest pan Bogdan?

– Dozorca, nie udawaj głupiego. I znowu jeździłeś windą, chociaż ci nie wolno.

Skąd babcia to wie? Nie mam pojęcia, ona naprawdę zawsze wie wszystko. I oczywiście kazała mi za karę klęczeć przez godzinę na grochu. Byłem już trochę przejedzony i nie miałem siły na kłótnie, poza tym Albert szeptem doradził, by nie denerwować babci, więc posłusznie obszedłem całe mieszkanie, ale nigdzie nie znalazłem tego grochu.

– Nie marudź! – krzyknęła, kiedy powiedziałem, że nie mogę go znaleźć. – Klękaj w kącie i wyobraź sobie, że tam jest groch.

Nikt nie umie krzyczeć tak jak babcia. Poza tym nikt nie ma tylu chorób, nikogo nie bolą tak bardzo plecy, nikt tak ładnie nie śpiewa w kościele i nikt nie ma tyle utrapienia z wnukiem co ona.

Po dziesięciu minutach klęczenia w kącie w kuchni babcia zlitowała się i posłała mnie do pokoju dziadka, żebym zdrzemnął się koło niego, zanim przyjdzie po mnie mama. Otworzyłem drzwi i od razu poczułem zapach szarego mydła. Dziadek zawsze nim pachnie, nawet kiedy śpi. Często powtarza, że prawdziwy mężczyzna powinien pachnieć szarym mydłem i końskim siodłem, ale tego drugiego zapachu nigdy od niego nie czułem. No bo przecież dziadek nigdy

nawet nie siedział na koniu, ma tylko nad łóżkiem zdjęcie marszałka Piłsudskiego w siodle, ale gdy mu to kiedyś wypomniałem, nazwał mnie bezczelnym smarkaczem i przestał się odzywać na dwie godziny. Dziadek lubi przesypiać dzień, mówi, że słońce mu szkodzi, dlatego zasłania okna grubymi zasłonami. Kiedyś myślałem, że jest wampirem i żyje tylko w nocy, teraz myśli tak Brachol, bo oczywiście taką wersję wbiłem mu do głowy. Minąłem stół z maszyną do szycia, krzesło z czerwoną poduszką, na której dziadek zawsze siedzi podczas pracy, i parawan z przewieszoną marynarką. Mama mówi, że dziadek ubiera się jak prawdziwy dżentelmen. Jak będę większy, też będę nosił takie ubrania, jeśli dziadek mi uszyje, bo te ze sklepu są na mnie za krótkie. I będę

wkładał sobie chusteczkę do górnej kieszonki marynarki. Ciekawe, co by powiedziała Bożenka, gdyby mnie zobaczyła w takich ciuchach...

Dziadek chrapał. Spod koca wystawały mu tylko stopy. Podszedłem na palcach i usiadłem na brzeżku wersalki, a ta zajęczała i zazgrzytała, jakby zaraz miała się rozpaść, co wcale nie obudziło dziadka. Nic nie jest w stanie go obudzić oprócz... Pokażę wam. Wystarczy sięgnąć nad jego głową do włączonego radia stojącego na parapecie i wyłączyć je, a od razu...

– Ty zarazo jedna! Ty łachmyto! Ty... A to ty, wnusiu. No połóż się, połóż, już się przesuwam. Tylko włącz to radyjko, kochaniutki, bo słucham przecież.

Włączam i natychmiast rozlega się chrapanie. Tak jest za każdym razem. Poważnie! Czasami, jak tu śpię, wyłączam i włączam radio kilka razy z rzędu. Dzięki temu poznaję całkiem nowe słowa, które potem testuję na kumplach. Bardzo lubię spędzać czas w pokoju dziadka. Jest tu mnóstwo starych obrazów, zakurzonych lamp i samych abażurów, wysoko pod sufitem wiszą pokryte pajęczyną poroża, a pod nimi zegary z kukułkami. Ale najfajniejsze są kartony pełne samochodzików. Dziadek pracuje w komisie jako magazynier na drugą zmianę – zaczyna po obiedzie i zamyka sklep późno w nocy. Babcia narzeka na klientów, którzy tak późno do niego przychodzą, ale dziadek to lubi. Dzięki temu co noc gra z nimi w karty i co chwilę coś wygrywa, po czym przynosi to do domu. Najfajniejsze resoraki mam właśnie od niego. Dziadek pozwala mi się wszystkim bawić, nie wolno mi tylko ruszać papieru toaletowego, z którego zbudował sobie dodatkową ścianę za łóżkiem. Od podłogi pod sam sufit stoją ciasno poukładane rolki. No i raz zobaczyłem w wersalce chyba z dwieście kilogramów cukru. Kiedy powiedziałem o tym babci, machnęła tylko ręką i mruknęła coś o stukniętym mężu, ale ja znam dziadka – on wcale nie jest stuknięty, po prostu robi zapasy na wypadek wojny. Tylko czasem się zastanawiam, dlaczego według dziadka podczas wojny najbardziej przydatne są cukier i papier toaletowy? No, nieważne. Kiedyś na pewno rozwiążę tę zagadkę.

Położyłem się ostrożnie obok dziadka. W moim brzuchu coś burknęło, to pewnie ten ostatni pieróg, ale przecież nie mogłem go nie zjeść – był siedemnasty, a siódemek się nie ignoruje. Nagle jeden z zegarów wiszących na ścianie lekko się zatrząsł, wskazówki drgnęły i wskoczyły na godzinę czternastą (dwie siódemki!), a z dziupli z kukułką wysunął się... Krzysiek! Całkiem malutki, prawie jak moje Muppety, trzymał coś w ręku za plecami. Wtedy to samo stało się z zegarem na sąsiedniej ścianie, tyle że z dziupli wyjrzała Nika. Chyba pierogi zaatakowały mi mózg i zwariowałem! Krzysiek wyciągnął w stronę Niki dłoń i wtedy zobaczyłem, że trzyma różę. O, co to, to nie! Żadnych mi tu takich świństw nie wyczyniać! Zaraz wstanę i... Ale zanim zdążyłem wstać, obudziłem się i usłyszałem głos Brachola z przejęciem opowiadającego babci o szczepieniu w przychodni. Chyba nie tylko ja, bo w tym momencie drzwi do drugiego pokoju lekko się uchyliły i zobaczyłem pół twarzy stryja.

– Pst, Longin, wpadnij do mnie jutro. Mam nowe książki, chcesz, to ci pokażę.

I zniknął z powrotem w swoim pokoju. Wygląda na to, że znowu muszę odwołać wypad z chłopakami. Za nic w świecie nie przegapiłbym przeglądania nowych książek stryja Darka!

# ROZDZIAŁ PIĄTY

**ALBERT ZAMRUCZAŁ COŚ PRZEZ SEN** i przewrócił się na drugi bok, niemal zwalając mnie z łóżka. Strasznie się dziś rozpychał, jak tak dalej pójdzie, wyrzucę go do Brachola. W mieszkaniu było ciemno, wszyscy spali. Ktoś właśnie wracał po nocy do domu, bo zazgrzytała otwierana brama. Na pewno Andrzej zza ściany miał randkę. Jest okropnie stary, pewnie ma już ze dwadzieścia lat i w dodatku ze dwa metry, a mimo to znalazł sobie dziewczynę. Kiedyś nawet widziałem, jak ją całował, fuj! Chodzenie za ręce to jeszcze jestem w stanie zrozumieć, ale to całe całowanie się to naprawdę przesada. Skąd niby miałbym wiedzieć, co ona akurat zjadła? A jeśli szpinak i teraz te zielone kawałki wystają jej z zębów... Bleee!

Ale ciężkie kroki ucichły na pierwszym piętrze. Czyli to DJ Kołek, który znów zasiedział się w barze i teraz nie może trafić kluczem do dziurki. Tata raz spotkał go w nocy na schodach i potem opowiadał mamie, jak to wyglądało. Mama wcale go jednak nie słuchała, bo była trochę zdenerwowana, że późno wrócił do domu, ale ja usłyszałem każde słowo. I rzecz jasna powtórzyłem potem chłopakom z paczki. I ze szkoły. DJ Kołek stał się dzięki mnie sławny. Zresztą sami się zaraz zorientujecie, jak to wygląda. O, słyszycie ten przytłumiony głos dochodzący z mieszkania pod nami?

– Ty pijaku jeden, znowu chlałeś!

To pani Danka, żona DJ Kołka, wstała i poszła otworzyć mu drzwi. Właśnie odsuwa zasuwkę, żeby – poczekajcie chwilę – krzyknąć:

– Pijany jak świnia! Trzeci raz w tym tygodniu! Za jakie grzechy, za jakie...

Potem już nie jest tak fajnie, wpuszcza go do środka, ale zanim zaśnie i przestanie mówić, co o nim sądzi i dlaczego nie posłuchała swojej mamusi, która odradzała jej to małżeństwo, minie jeszcze co najmniej pół godziny. Chyba DJ Kołek głuchnie w tym barze, bo zawsze potem pani Danka strasznie głośno do niego mówi. Tak naprawdę to on nazywa się Jędrzej, ale napis na wizytówce na drzwiach, Danuta i Jędrzej Wołek, przerobiliśmy na DJ Kołek i tak już zostało. Kiedy wreszcie oboje usnęli, znowu zrobiło się cicho. Nawet nie było słychać straszliwie kaszlącego Henryka, który mieszka między DJ Kołkiem a Piotrkiem razem z żoną Henryką i ratlerkiem Heńkiem. Wcale nie ściemniam, oni serio tak się nazywają. Próbowaliśmy wymyślić im jakąś ksywkę, ale śmieszniej się już nie da. No, może zabawniej nazywa się tylko zastępczyni dyrektora naszej szkoły. Barbara Bar-Baran. No, niefart po prostu, wyjść za mąż za Barana, mając takie nazwisko... Ale wracając do naszej kamienicy – HeHeHe mają taki sam rozkład mieszkania jak my i Henryk przez ten swój kaszel sypia w kuchni, żeby nie budzić żony i Henia. Ale skoro dzisiaj go nie słychać, to może nie żyje? Może zeżarł go ratlerek? Nagle coś zaczęło dziwnie świszczeć. Lodówka się znowu psuje? No, chyba że ratlerek naprawdę

go zeżarł i teraz świszczy z przeżarcia... Zapaliłem małą lampkę i spojrzałem w dół – rozkopana kołdra leżała przy łóżku, a na niej w najlepsze świszczał sobie skulony Brachol. No to już przesada! Spać człowiekowi nie dają we własnym domu! A co, jakbym jutro miał klasówkę? Poszedłbym niewyspany i na pewno dostałbym dwóję! Chociaż uczyłem się przez cały tydzień i wszystko umiem! A potem znowu będzie na mnie! Co to, to nie!

Zeskoczyłem z łóżka i poszedłem obudzić mamę.

– Jutro dostanę pałę z klasówki! A tyle się uczyłem! I to przez was! Po co mi młodszy brat, skoro przeszkadza mi spać w moim własnym łóżku?!

Mama spojrzała na mnie nieprzytomnym wzrokiem i poszła do naszego pokoju. Po chwili wróciła z jęczącym Bracholem na rękach i od razu obudziła tatę.

– Sebuś jest chory! Wstań i zaparz czarny bez i kwiat lipy. I nalej do wanny zimnej wody, musimy obniżyć mu gorączkę.

Świetnie, nie dość, że nie daje mi spać, to jeszcze teraz wszyscy będą się nad nim użalać. Powlokłem się z powrotem do siebie.

Rano obudziło mnie chrapanie taty. Spał na łóżku Brachola, bo ten farciarz oczywiście dostał miejscówkę z mamą. Rzuciłem w tatę poduszką, ale nie pomogło, dalej chrapał. Pożegnałem się z wizją odespania zarwanej nocy i poszedłem do kuchni, która wyglądała jak kanion po starciu Apaczów z Białymi Twarzami. Brakowało tylko oskalpowanych głów, ale reszta się zgadzała: poprzewracane kubki i garnki, kuchenka zalana czymś czerwonym, mokre ścierki do naczyń leżące w zlewie i ani jednej czystej łyżeczki do herbaty. I ktoś zeżarł moje śniadanie!

– O matko... – To mama weszła do kuchni, przecierając zaspane oczy. – Ale tu bałagan. Martuś, umyj się szybko i leć do szkoły. Zaspaliśmy. Sebuś jest chory i musisz na kilka dni przenieść się do dziadków. Idź tam od razu po szkole, a wieczorem tata przyniesie ci rzeczy. Mam nadzieję, że nie zdążył cię zarazić. To chyba szkarlatyna. A, obudź tatę, bo spóźni się do pracy.

– A gdzie moje śniadanie? Czy naprawdę nikt w tym domu o mnie nie dba? Nikt mnie nie kocha, nikt...

Ale zanim zdążyłem się na dobre zapowietrzyć, mama ziewnęła, pogłaskała krzesło, sądząc, że głaszcze mnie po ramieniu, i wyszła z kuchni.

**BABCIA OCZYWIŚCIE** o wszystkim wiedziała, zanim tata zadzwonił do niej z pracy, i zdążyła nawet ugotować dla mnie obiad i zrobić pączki. Zjadłem siedem, zostawiając dwa dla dziadka i stryja. Pierwszy z nich był już w pracy, a drugi jeszcze nie skończył sesji fotograficznej. No, ale dziadek wróci w nocy, a jedzenie pączków na noc jest niezdrowe, więc z troski o dziadka zjadłem ósmego. A żeby nie kusił mnie ten dziewiąty, postanowiłem pójść do pokoju stryja, czego – nie mówiłem wam? – absolutnie mi nie wolno. Stryj nie znosi, kiedy tam myszkuję, i choćbym nie wiem jak starał się niczego nie dotykać i na wszelki wypadek nie oddychać, wystarczy mu rzut oka po powrocie i wie, że byłem w środku. Najwyraźniej ma to po babci. Przemknąłem przez pokój dziadka, niemal ciągnąc za sobą Alberta. On ma zawsze opory, kiedy wchodzę bez pozwolenia do stryja.

– No weź, przestań zachowywać się jak baba. Nika od razu by tam weszła.

Albert oczywiście miał jakieś wąty, ale wiedziałem, że w ten sposób wjadę mu na ambicję. Pierwszy nacisnął klamkę i zaglądając do środka przez uchylone drzwi, zatrzymał się w progu.

– Właź, gamoniu. – Popchnąłem go lekko, a on zahaczył nogą o dywan i rozłożył się na nim jak długi. Parsknąłem śmiechem, ale tylko wyciągnął palec i pokazał mi coś na podłodze pod drzwiami. Spojrzałem uważniej i wzruszyłem ramionami:

– Przecież to tylko koci wąs. Ale... zaraz, zaraz, drogi Watsonie, skąd niby koci wąs, skoro dziadkowie nie mają kota? Od dzisiaj mów mi Sherlocku – dodałem na widok zdziwionej miny Alberta. – No co, nie czytałeś *Sherlocka Holmesa*? Najsłynniejszy detektyw wszech czasów...? Nie, no z kim ja mieszkam?! Facet, masz braki w kulturze. Jakbyś nie miał, tobyś wiedział, że ten koci wąs nie jest tu przez przypadek. Stryj – zniżyłem głos – zastawił na nas pułapkę. Zobaczy, że wąs leży w innym miejscu, i domyśli się, że tu byliśmy. Gdzieś tu na pewno – rozejrzałem się po pokoju – schowany jest szpiegowski aparat, który właśnie robi nam zdjęcia. Uśmiechnij się!

Albert się nie uśmiechnął. Wstał, otrzepał ubranie i wzruszył ramionami. Braki to on ma też w poczuciu humoru, a nie tylko w kulturze. Przejrzałem książki na półkach, ale nie zauważyłem żadnej nowej, za to na parapecie stały jakieś rzeźby, których ostatnim razem nie było. To znaczy, wiecie, stryjek nazywa je rzeźbami. Babcia na pewno by je zgniotła i wrzuciła do śmietnika, a tata zrobiłby z nich antenę do odbierania telewizji. Tata i stryj są braćmi, co jest naprawdę śmieszne, bo kiedyś tata obtaczał wyżute donaldy w cukrze i sprzedawał je stryjkowi jako cukierki. Po kimś przecież musiałem odziedziczyć takie pomysły, no nie? Ale ja wam tego nie mówiłem! Wszystkiego się wyprę.

**TATA MIAŁ CZTERY LATA**, kiedy urodził się stryj, i od tamtej pory nikt oprócz dziadków nie chce wierzyć, że są braćmi. Bo tata jest tylko trochę wysoki, ma okrągły brzuch, który wciąga, i włosy sterczące na wszystkie strony. No i oprócz tego, że potrafi wszystko naprawić, jest też wynalazcą. Ostatnio na przykład wymyślił specjalny talerz z krzywym dnem – zupa zbiera się w jednym miejscu i można ją zjeść bez przechylania talerza. Zaprojektował też specjalny kubek, w którym jest miejsce na herbatnik, żeby nie trzeba go było kłaść na talerzyku obok. Fajne, nie? A stryj jest najwyższym człowiekiem na świecie, ma dokładnie dwa metry i trzy centymetry. Nie musi wcale wciągać brzucha, nosi brodę i nie ścina włosów, które sięgają mu już do ramion. I jest artystą. Ma swój aparat fotograficzny Zenit, a w łazience robi ciemnię i sam wywołuje zdjęcia, czego babcia nie znosi, bo wtedy śmierdzi w całym domu wywoływaczem i utrwalaczem, które cuchną gorzej niż spalone mleko w szkolnej stołówce. Stryj maluje też obrazy, a z puszek, kabli i przypadkowo znalezionych plastikowych części tworzy niesamowite rzeźby. Pokazuje mi je i pyta:

– I co, Longin, może być? Wujo ma talent? No, powiedz?

Więc zawsze mówię:

– Wiadomo, jest super!

Ponieważ nie bardzo wiem, co mam powiedzieć. Bo wiecie, mój wujek jest najmądrzejszym gościem – jakby wziąć wszystkich nauczycieli ze szkoły, wyżąć ich przez wyżymaczkę w pralce babci i odcedzić samą wiedzę, a resztę wyrzucić, to zostałby zaledwie nędzny kawałeczek tego, co on wie. Ale czasami zachowuje się gorzej niż Damianek, szkolny lizus i ulubieniec facetki od polaka, kiedy dostanie tróję. Zwłaszcza gdy ktoś próbuje go krytykować. A do tego wystarczy mu powiedzieć, że nie jest super. Obraża się wtedy i przestaje odzywać. Mama uważa, że stryjek jest niedojrzały, tata twierdzi, że to przez te gumy w cukrze, a pani Magda, mama Piotrka, wzdycha i rumieni się, mówiąc, że jest wrażliwy. Ale coś wam powiem, nikt nie ma takiego fajnego wujka jak ja! W zeszłe wakacje zrobił mnie i chłopakom szkolenie z murali – dostał gdzieś farby w sprayu i zabrał nas na Olszynkę Grochowską, gdzie pomalowaliśmy ścianę magazynu

w wielkie trójkąty i kwadraty. Stryj zaczął domalowywać im oczy i ręce, a potem pokazał nam album z obrazami takiego malarza, co się chyba nazywa Picasso. I nasze były fajniejsze. Nie skończyliśmy tego muralu, bo ktoś zawołał milicję i musieliśmy dać nogę.

**ALBERT STAŁ PRZED OTWARTĄ SZAFĄ** i wpatrywał się zdumiony w rząd wieszaków, na których wisiały dokładnie takie same koszule i spodnie w kolorze czarnym.

– Co się tak dziwisz? Wujek od lat chodzi w identycznych ciuchach. Jak się zniszczą, to kupuje w tekstylnym całą belę ulubionego materiału i prosi dziadka, żeby uszył mu takie same.

Ale Albert tylko narysował sobie palcem kółko na czole i zamknął cicho szafę. W samą porę, właśnie usłyszałem, jak wujek wchodzi do mieszkania. Ulotniliśmy się szybko z jego pokoju, zamykając za sobą starannie drzwi.

– Czołem, Longin, jak leci? – odezwał się stryj, wchodząc do pokoju dziadka. Z torby przewieszonej przez ramię wystawał mu długi obiektyw do aparatu i nóżki statywu. – Albert jest z tobą? – zapytał szeptem, a kiedy pokiwałem głową, dodał: – To pakujcie się, chłopaki, do środka. – I otworzył drzwi do siebie.

Tylko jemu powiedziałem o moim najlepszym przyjacielu ze strychu, uwierzył mi bez mrugnięcia okiem i często pyta, co u Alberta.

Zatrzymał się gwałtownie w progu, schylił się i podniósł coś z podłogi, po czym odwrócił się do mnie i zapytał grobowym tonem:

– Wchodziłeś?

– Yyy, nie, ja, yyy, nie, tylko...

– Nie wol-no ci tu wcho-dzić, kie-dy mnie nie ma, ja-sne?! – wycedził, wyciągając przed siebie dłoń, na której leżał biały koci wąs. A chwilę później obrażony trzasnął drzwiami i tyle go widziałem.

– Mistrzunio ze mnie, co? – wyszeptałem do Alberta. – Zgad-łem, zgad-łem! No, z tym wąsem – dodałem, bo nie zajarzył. – Sie czytało *Sherlocka Holmesa*, sie wie. A teraz chodź do kuchni, pooglądamy telewizję.

Bardzo lubię oglądać telewizję u babci. Telewizor stoi w kuchni, bo dziadek zdecydowanie woli radio. Babcia co wieczór zaciąga zasłony, parzy herbatę, włącza *Dziennik* i siada naprzeciwko na tapczanie, po czym momentalnie zasypia. A wtedy ściszam trochę głos, żeby jej nie obudzić, i szukam jakiegoś fajnego filmu. Szukanie nie trwa długo, bo w telewizji są tylko dwa programy. O tej porze zazwyczaj lecą nudy z przeklinającymi facetami, ale czasami zdarzają się też nie całkiem ubrane facetki i wtedy muszę jednym okiem sprawdzać, czy babcia się nie budzi. Ale najbardziej lubię kryminały, jak *07 zgłoś się*. Tam są same zakazane rzeczy: palą papierosy, strzelają do siebie, klną i się rozbierają. Super! No ale od czasu tamtego wypadku muszę bardziej uważać, bo babcia teraz szybko się wybudza. To było latem, kiedy rodzice poszli z Bracholem na urodzinowe przyjęcie jakiegoś dziecka. Wiecie, wystarczy mi własny brat, nie potrzebuję więcej małolatów, więc zostałem w domu. Babcia zgodziła się mnie popilnować, ale że stryjek rzeźbił wtedy w swoim pokoju za pomocą piły do metalu, wolała przyjść do nas. Oczywiście jak tylko zaparzyła herbatę i włączyła telewizor u rodziców, zasnęła, a ja postanowiłem zrobić jej niespodziankę. Poszedłem na palcach do łazienki, nalałem do miski wody i trochę płynu. Tylko nigdzie nie mogłem znaleźć odpowiedniej szmaty do mycia podłogi. Wreszcie udało mi się wygrzebać z szafy jakieś ścinki materiałów, kolorowe, w paski i esy-floresy, pewnie resztki z zasłon, które babcia nam niedawno uszyła. Zwinąłem je w kulkę, namoczyłem i umyłem calutką podłogę! Na końcu nawet starłem kurz z meblościanki. Myślałem jeszcze o oknach, ale już mi się nie chciało, bo się zmęczyłem tymi porządkami. Potem usiadłem sobie koło babci i czekałem, aż się obudzi, żeby – jak się zdziwi, że tak tu czysto – oznajmić, że to krasnoludki. Ale babcia obudziła się, dopiero jak zazgrzytał klucz w zamku, a mama zawołała z przedpokoju:

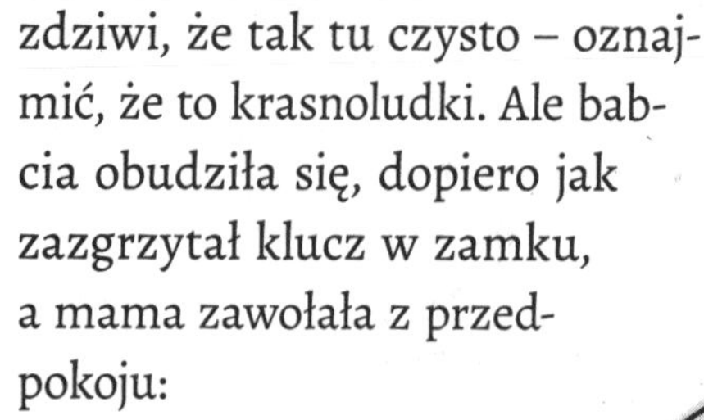

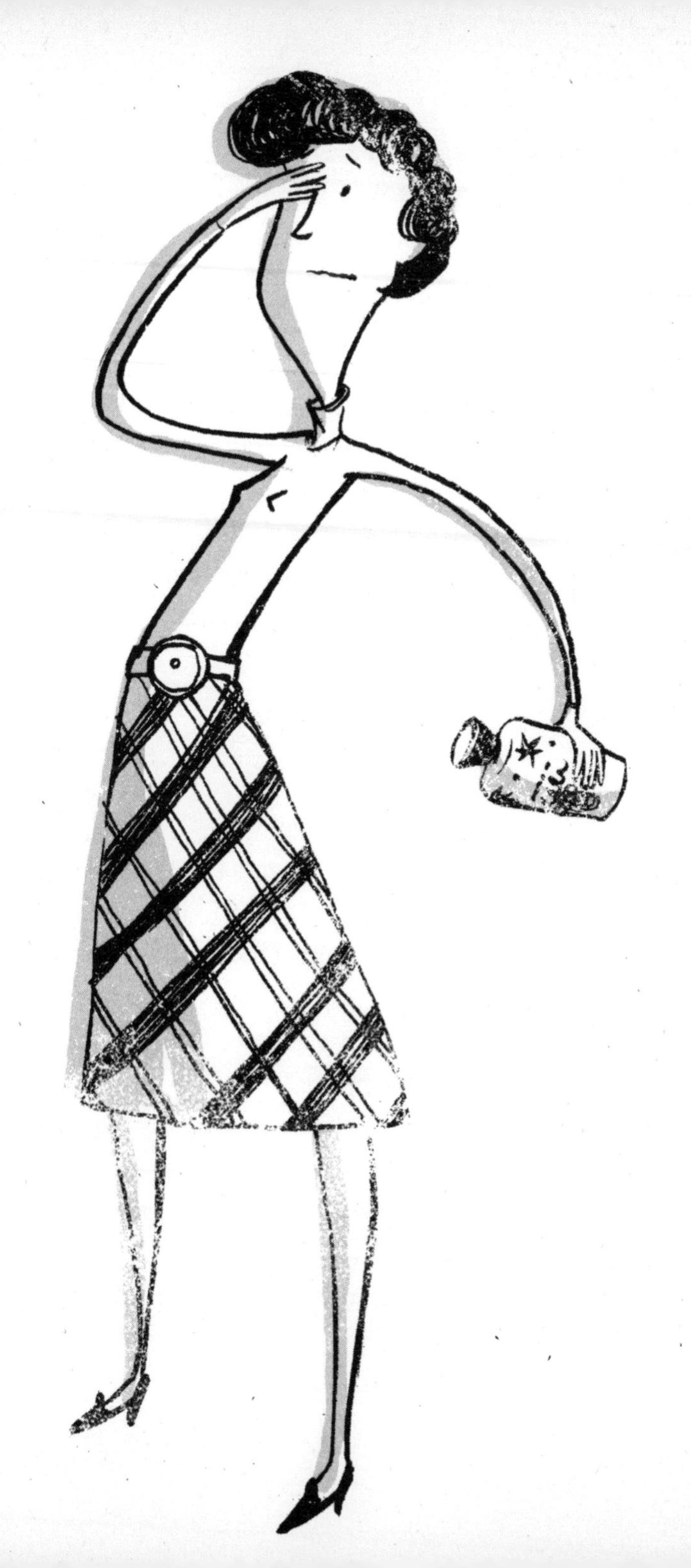

– Co tu tak dziwnie pachnie?

– Jak twoje włosy – dodał tata, a mama jęknęła i pobiegła do łazienki. Po chwili jęknęła jeszcze głośniej. Okazało się, że zużyłem całą butelkę zagranicznego szamponu, który kupiła sobie w Peweksie. Mycie włosów czy mycie podłogi – co za różnica? W końcu było czysto i ładnie pachniało, nie?

– A co to ma być?! – ryknął nagle z kuchni tata.

Uśmiechnąłem się – wreszcie ktoś docenił moją pracę, zaraz mi podziękują, dadzą czekoladę i zostanę ich ukochanym synkiem, a ja tylko powiem skromnie, że nie trzeba, że to nie ja, tylko krasnoludki zrobiły niespodziankę...

– Co jest z tym gówniarzem? On chyba chce mnie wykończyć!

Nie całkiem to chciałem usłyszeć, ale...

Tata stanął w przedpokoju, trzymając w ręku ociekające ścinki, które wrzuciłem do zlewu, żeby nie zamoczyć kubła na śmieci. O wszystkim pomyślałem!

– Coś ty zrobił z moimi krawatami?!

– Yyy, to nie ja, to...

– Jasne! Nie ty! Pewnie krasnoludki, co?!

No i potem tata poszedł szukać paska w szafie, mama zaczęła płakać, a babcia schowała mnie za sobą i uspokajała tatę, zapewniając, że uszyje mu nowe krawaty, jeszcze ładniejsze. Tacie szybko przeszło, mówiłem wam, że on się czasem odgraża, że „będzie ze mną po męsku rozmawiał", ale nigdy tego nie robi. Jednak po tamtym wydarzeniu na wszelki wypadek schowałem mu pasek na samo dno szafy.

Kiedy weszliśmy do kuchni, telewizor był włączony, a babcia już spała. Albert delikatnie wyjął jej z ręki szklankę z herbatą i postawił na stole, a ja wgapiłem się w ekran w oczekiwaniu na jakiś film. Jednak jedyne, co właśnie pokazywali, to była powtórka *Tygodnia na działce,* więc po prostu położyliśmy się do łóżka. Zdążyłem jeszcze pomyśleć, że wujkowi na pewno do jutra przejdzie i zrobimy razem coś fajnego, a potem zasnąłem.

# ROZDZIAŁ SZÓSTY

**KIEDY OBUDZIŁEM SIĘ RANO** koło chrapiącego dziadka, moje rzeczy leżały już na stole: ubrania na zmianę, szczoteczka do zębów, książka do historii i kilka komiksów.

– Tata przyniósł to wczoraj wieczorem, ale już spałeś, więc cię nie budziliśmy. Sebuś na szczęście nie ma szkarlatyny i jutro możesz po szkole wrócić do domu – powiedziała babcia, szykując mi kanapki na śniadanie.

Gdybym nie znał tak dobrze mojej babci, mógłbym pomyśleć, że słyszę ulgę w jej głosie. Ale przecież ją znam i wiem, że kocha mnie najbardziej na świecie i bardzo się cieszy, że u niej mieszkam. Nie to co moi rodzice.

– Tata wspomniał też, że możesz wykorzystać pobyt u nas i po powrocie ze szkoły poćwiczyć trochę w piwnicy.

A już myślałem, że o tym zapomniał! Albert zakrył dłonią usta i zachichotał, wie doskonale, że nie znoszę tego sprzętu, który tata zbudował specjalnie dla mnie z kawałka starego drążka, kilku odważników, deski do prasowania i paru sprytnie zamontowanych sprężyn. Wygląda to jak średniowieczne narzędzie tortur, które kiedyś widziałem w muzeum historycznym. Kiedy mama zaprotestowała, mówiąc, że jestem jeszcze za mały na takie ćwiczenia (też mi argument – jestem z nią prawie równy wzrostem) i na pewno zrobię sobie jakąś krzywdę (tu akurat trafiła – podczas pierwszych ćwiczeń jeden z odważników spadł mi na duży palec u nogi, bolało tak, że chyba nawet się rozpłakałem), tata uciął zdecydowanym tonem:

– Zobacz, jaką on ma zapadniętą klatkę, zero mięśni! Mój syn nie może być takim cherlakiem, że byle wiatr go przewróci. Ja w jego wieku byłem już mistrzem dzielnicy w biegach przełajowych.

Akurat. Babcia mi kiedyś powiedziała, że tata tylko raz wystartował w zawodach i nawet nie dobiegł do mety, bo po drodze zgubił but. Tylko mu nie mówcie, że o tym wiem. Albert twierdzi, że tata powinien nadal myśleć, że jest dla mnie wzorem sportowca (chociaż mama śmieje się z jego brzucha). No, ale z tymi ćwiczeniami to przegiął. Pewnie za dużo się naoglądał filmów z tym Arnoldem, jak mu tam, jakiś Niemiec chyba, nieważne. Mam niby tak jak on zostać pakerem i wchodzić bokiem przez drzwi, czy co? Oni wszyscy powariowali.

Nie chciało mi się ćwiczyć, ale babcia patrzyła na mnie wzrokiem z gatunku „łatwo się nie wywiniesz", więc musiałem coś wymyślić. I wymyśliłem! Przypomniało mi się, że ostatnim razem, kiedy tata zmusił mnie do zejścia do piwnicy, drążek ze sztangą spadł i przygwoździł mnie do ławeczki. Darłem się jak opętany, ale nikt nie słyszał. Dopiero po paru długich minutach znalazł mnie sąsiad i pomógł się uwolnić. Tata zakazał mówić o tym mamie, więc od razu jej powiedziałem, a ona nakrzyczała na niego i zabroniła mi ćwiczyć. A przecież muszę się słuchać mamy, no nie?

– Ale mama mi nie pozwala! – rzuciłem tryumfalnie w stronę babci.

– Mama nie pozwala ci też oglądać filmów, które oglądasz u mnie, kiedy śpię, myśląc, że o niczym nie wiem, więc możesz również zrobić inną rzecz, na którą mama ci nie pozwala – odparła z niewzruszoną logiką babcia. Byłem zdruzgotany. Nagle mnie olśniło:

J E L C Z

– Dziś po południu mam religię!

W oczach babci pojawił się błysk, a w kącikach ust – delikatny uśmiech.

– A, rzeczywiście! Tak, tak, religia jest najważniejsza, masz rację, wnusiu. Jednak coś z ciebie będzie. No, jak zjesz obiad, odprowadzę cię do kościoła. Dzisiaj będzie pomidorowa z makaronem. A teraz kończ już to śniadanie i marsz do szkoły, bo się znowu spóźnisz.

Na wszelki wypadek nie wspomniałem babci, że nie ma dziś dwóch ostatnich lekcji, bo facet od geografii i facetka od muzyki pojechali z inną klasą na wycieczkę do Krakowa. I całkiem dobrze zrobiłem, bo udało mi się namówić Alberta na naszą własną wycieczkę, chociaż nie było to łatwe.

– No chodź, będzie fajnie. Kiedy ostatni raz byłeś w centrum Warszawy? Ja chyba z rok temu, kiedy wujek zabrał mnie do planetarium, ale nawet nie pozwolił mi wjechać windą na ostatnie piętro Pekinu.

– Pekinu?! – mówiły wielkie oczy Alberta.

– No przecież mówię o Pałacu Kultury i Nauki, każdy w Polsce wie, o co chodzi, skądżeś ty się urwał? Przyleciałeś jak E.T. z innej planety?

– E.T.??? – Albert wyglądał, jak byśmy naprawdę znaleźli się w Pekinie, miałem wrażenie, że mówię do niego po chińsku.

– O rety! Ty naprawdę nic nie kapujesz. A o filmie Spielberga słyszałeś? No, o tym kosmicie, który sprawia, że rowery potrafią latać, i umie leczyć ludzi świecącym na czerwono palcem? Nie? No dobra, nie patrz tak już, nieważne. O, zobacz, jedzie 102 – lecimy!

Dobiegliśmy do autobusu w ostatniej chwili. W tornistrze obijały mi się zeszyty i książka do historii, ale zupełnie niepotrzebnie ją dźwigałem, bo facetka przez pierwszą połowę lekcji męczyła pod tablicą Mistrzunia, a potem Krzyśka, który przynajmniej coś wiedział, więc nie dał się tak łatwo. Albert zerkał znacząco na kasownik, ale co niby miałem kasować, skoro jechaliśmy bez biletu? Szukałem po kieszeniach, jednak znalazłem tylko gumę do żucia w kształcie papierosa i zmiętą historyjkę z donalda. Pozwoliłem mu ją skasować, żeby się uspokoił, a kiedy przejeżdżaliśmy przez most, opowiedziałem mu mrożącą krew w żyłach historię o wesołym miasteczku, które kilka lat temu rozłożyło się zaraz za mostem koło Wisły. Podobno już pierwszego dnia urwała się karuzela łańcuchowa i wszyscy zginęli. Kilkoro dzieci wpadło z impetem do rzeki i nigdy nie znaleziono ciał. No bo reszta była widoczna jak na dłoni – pourywane ręce i głowy podobno latały po całym miasteczku. Albert tak się przejął tą historią, że zamiast wypatrywać kanarów, przyglądał się wnikliwie nurtom rzeki. Siedzieliśmy na schodach, bo wszystkie miejsca były zajęte, i na zakrętach trochę nami rzucało, ale za to wszystko widzieliśmy przez szybki w drzwiach. Kiedy podjechaliśmy blisko Pałacu, szturchnąłem Alberta i szepnąłem:

– Kanary! Spadamy!

Na przystanku wyleciał jak z procy, a ja miałem z niego niezłą bekę. Obeszliśmy dokoła cały Pekin, winda niestety nie działała, a jeszcze nie upadłem na głowę, żeby leźć po schodach na trzydzieste piętro, więc postanowiłem pokazać kumplowi Centralny Dom Towarowy. Poszliśmy w tamtym kierunku Alejami Jerozolimskimi, zaglądając po drodze przez szyby wystawowe do sklepów. W obuwniczym pośmialiśmy się trochę na widok paskudnych buciorów z napisem relax, chociaż chodzenie w nich wcale nie jest relaksujące – są niewygodne i potwornie brzydkie. W garmażerii, robiąc do siebie głupie miny, zaczęliśmy się trząść jak zimne nóżki w galarecie, które stały w rządku na ladzie, aż wreszcie sprzedawczyni wyrzuciła nas ze sklepu. A sam dom towarowy nie był może aż tak gigantyczny jak Pałac, ale i tak zrobił wrażenie na Albercie.

– Wiesz, że ten sklep się spalił w wielkim pożarze i potem go odbudowali? – zapytałem, siorbiąc przez słomkę lemoniadę z woreczka. Albert myślał, że go kituję, ale to najprawdziwsza prawda. Stryjek opowiadał, że przed pożarem na budynku wisiał kolosalny neon z taką strzałką i trzy ogromne litery CDT. Szkoda, że tego nie widziałem. Kiedy już dało się odkleić Alberta od Domu Towarowego, poszliśmy w stronę ulicy Marszałkowskiej, żeby stamtąd dojść do pętli autobusu 102, skąd jedzie się z powrotem do domu. Na przejściu dla pieszych czekaliśmy chyba z dziesięć minut, zanim udało się nam przejść na drugą stronę – jechało tyle trabantów, fiatów i syrenek, że nie nadążaliśmy z liczeniem. A dokładnie po drugiej stronie ulicy była budka z fantastycznymi zapiekankami. Albert zzieleniał trochę przy drugiej, więc dojadłem za niego. Zanim doszliśmy do ronda Jazdy Polskiej, znowu zgłodniałem, więc za resztę drobniaków kupiłem nam lody. Słońce dziś mocno grzało jak na jesienną porę i lody zaczęły się topić, skapując z wafelków prosto na buty. Wtedy wpadłem na pomysł.

– Zanim wsiądziemy z powrotem do autobusu, pokażę ci prawdziwe łóżka.

I poszliśmy do największego domu handlowego w Warszawie – do Emilki. Jest naprawdę wielki, ma dwa piętra i składa się z samych okien. Wszystko można zobaczyć z chodnika przed sklepem. A poza tym jest połączony z wieżowcem, który stoi zaraz za nim. Wychodzicie sobie w kapciach z mieszkania i siup, jesteście od razu w sklepie, fajnie, nie? No i możecie sobie kupić łóżko, jeśli akurat jest na składzie, albo szafę czy biurko. Pod warunkiem oczywiście, że macie pokój nieco większy niż ja. Przed sklepem stała długa kolejka, co oznaczało, że rzucili jakieś nowe meble.

– Nie da rady, nie wejdziemy do środka. Przyjdziemy tu innym razem i wypróbujemy wszystkie łóżka po kolei, dobra? A jak znajdziemy takie w sam raz dla mnie, przekonam rodziców, żeby mi kupili, bo ile można spać z podkurczonymi nogami?

**NA PĘTLI MUSIELIŚMY** trochę poczekać na nasz autobus, bo jeden nam uciekł i zanim przyjechał następny, na przystanku zrobił się tłum. Ledwie wcisnęliśmy się do środka i chociaż wracaliśmy przez Świętokrzyską i Nowy Świat, a potem znów przez most, nic nie dało się zobaczyć. Staliśmy daleko od okna, upchnięci jak sardynki w puszce. Było duszno i śmierdziało, a w dodatku obok nas siedziała facetka z koszem wiklinowym, z którego dochodziło wściekłe gdakanie.

– Zaraz chyba puszczę pawia – mruknąłem do Alberta, czując, jak zapiekanka i lody krzyczą mi w gardle „chcemy wyjść!", ale na szczęście to był już nasz przystanek. Wysiedliśmy koło parku, skąd powlekliśmy się noga za nogą do dziadków. Najwyraźniej trochę się spóźniliśmy, bo babcia po otwarciu drzwi oznajmiła, że już miała dzwonić do szkoły.

– Ile czasu można iść ze szkoły?! Zenek dozorcy już dawno wrócił. Dlaczego mi nie powiedziałeś, że nie mieliście dwóch ostatnich lekcji?

Zenek. Nie dość, że przygłup, to jeszcze wredny donosiciel.

– Skończył mi się zeszyt w kratkę i musiałem kupić nowy – skłamałem na poczekaniu. – Obok nas nie było, więc poszedłem do innego sklepu, ale tam też nie było – dodałem szybko, zanim babcia postanowiła go obejrzeć.

**POMIDOROWA NA PEWNO BYŁA PYSZNA**, jednak po zapiekance i lodach, które zjedliśmy na wycieczce, nie chciało mi się wcale jeść. Siedziałem nad talerzem, grzebiąc w nim łyżką tak długo, aż wreszcie udało mi się trochę wylać. Poderwałem się, żeby zetrzeć zupę ze stołu i z krzesła, przy okazji potrącając talerz, z którego chlusnęło mi na spodnie i na podłogę. Wtedy do sprzątania włączyła się babcia, która nie zwróciła uwagi na to, ile zjadłem. I o to właśnie chodziło. Wszystko byłoby idealnie, gdyby nie to, że nie miałem spodni na zmianę, a zaraz mieliśmy wychodzić na religię.

– Nie denerwuj się, aniołeczku, zaraz znajdę ci jakieś ubranko i pójdziemy do Jezuska – kiedy chodziło o religię, babcia natychmiast rozpromieniała się i zaczynała posługiwać się zdrobnieniami.

No i dopiero teraz zacząłem się denerwować – mam iść między ludzi w spódnicy mojej babci czy w spodniach dziadka?! Spanikowany poleciałem do łazienki i suszarką do włosów próbowałem suszyć mokrą czerwoną plamę, która po dziesięciu minutach stała się suchą czerwoną plamą, trochę śmierdzącą przypalonym materiałem.

Trudno, coś wymyślę. Powiem na religii, że po drodze był wypadek, autobus potrącił jakąś kobietę i ja ją uratowałem, a ta plama na spodniach to jej krew. Chociaż może lepsza byłaby inwazja krwawych kosmitów: przedarłem się pod ostrzałem ognia, trafiłem kilku z nich, straszna rzeź, sikała krew, latały odcięte ręce, znaczy, te, macki, i zielone głowy. Hm, siostra może nie uwierzyć. Zdecydowałem się więc na wersję z wypadkiem i poszliśmy. Babcia jak zawsze w tej samej jesionce i tych samych butach, bo tak jak stryjek ma swoje ulubione ubrania i jak się jedne zużyją, jeździ po następne do tego samego zakładu krawieckiego, a buty od lat kupuje na targu u takiego łysego grubego sprzedawcy. Przed wyjściem z domu wzięła parasol, chociaż świeciło słońce. I jak się okazało w połowie drogi – słusznie zrobiła, bo zaraz za zakrętem dogoniły nas wielkie czarne chmury i lunęło jak z cebra. Babci niespecjalnie to przeszkadzało, ale woda ściekająca z jej parasola lądowała dokładnie za moim kołnierzem, więc zaryzykowałem i wyprzedziłem babcię. Mijaliśmy właśnie teren budowy, gdzie niebawem powstanie nowy wieżowiec. Pośrodku pustego placu otoczonego płotem stała koparka i mokła sobie na deszczu zupełnie jak ja. Rozglądałem się za ekipą budowlańców, ale zobaczyłem tylko jednego faceta w podkoszulku, który siedział pod drzewem i palił papierosa.

– Albert, spójrz na tego gościa. Ten to ma życie, co? – rzuciłem do kumpla, ale on tylko spojrzał na mnie, jakbym się urwał z choinki. – No, nie musi chodzić do szkoły ani na religię. I ma fajną pracę na budowie, może sobie jeździć koparką i kopać dziury, a jak mu się znudzi, to sobie odpoczywa. Nie mów, że sam byś tak nie chciał.

Albert namyślił się i przeskakując wielką kałużę, powiedział, że nie. On by wolał zostać dziennikarzem.

– Dziennikarzem? Serio? Ale to jest nudne! No i trzeba dużo pisać. A poza tym ma się czarne palce – dodałem, żeby go zniechęcić. Skoro od samego przeglądania gazety na palcach zostają ciemne ślady, to pomyślcie tylko, jak czarne dłonie muszą mieć ci, co w nich piszą.

Albert spojrzał na mnie z politowaniem. Nie lubię, jak tak patrzy – chyba mu się wydaje, że jest ode mnie mądrzejszy czy coś. Więc żeby mu się tak nie wydawało, wepchnąłem go do kałuży. Niestety złapał mnie za rękaw i wylądowałem tam razem z nim. Moje adidasy (tak naprawdę to sofixy, ale na wszystkie sportowe buty mówi się u nas adidasy) z odłażącą farbą przemokły w ciągu sekundy, woda wlatywała przez jedną szparę i wylatywała przez drugą. Babcia spojrzała na mnie spod parasola i otworzyła usta, jakby chciała na mnie nakrzyczeć, ale zamiast tego chwyciła mnie za rękę i w ekspresowym tempie wróciliśmy do domu. Buty wypchane gazetami od razu wylądowały na gorącym piecu, ale i tak nie było szans, by wyschły przed religią. Trudno, historię o wypadku będę musiał wykorzystać innym razem.

– Zaczekaj chwilkę, miałam przecież takie buty, co to mnie strasznie cisnęły, ze dwadzieścia lat temu, miałam je na nogach raz i schowałam gdzieś tutaj... – Babcia na czworakach wyrzucała zawartość szafy w przedpokoju: słoiki, młotek, imadło, stare lekarstwa, jedną łyżwę, torby, puste opakowania po cukierkach miętowych. – Są! W sam raz dla ciebie. Wkładaj i biegniemy.

W ręku trzymała coś, co z każdej strony wyglądało jak damskie kozaki sprzed dwudziestu lat. Kiedyś pewnie czarne, popękane, ze szpicem i na płaskiej podeszwie. Może to i są buty, ale za nic w świecie ich nie włożę. Ja, pierworodny syn, przyszły siłacz, z którym tata rozmawia po męsku? Co to, to nie!

Piętnaście minut później spóźniony wszedłem do salki katechetycznej. Tym razem nie szliśmy koło placu budowy, tylko na skróty, koło warzywniaka i elektrycznego magla, gdzie mama oddaje naszą pościel do krochmalenia. Zupełnie nie wiem po co, bo przez to krochmalenie moja kołdra na kilka dni staje się sztywna i drapiąca jak kawałek dykty, ale przynajmniej ładnie pachnie.

Niestety nie da się tego powiedzieć o plebanii, gdzie mamy religię z siostrą Noemi. Zanim wejdzie się do salki katechetycznej, trzeba najpierw przejść przez długi i ciemny korytarz, gdzie unosi się zapach podobny do tego, jaki czułem w krypcie pod krakowskim Wawelem podczas szkolnej wycieczki. Stryjek Darek mówi, że tak pachną trupy. Na szczęście siostra Noemi to równa babka. Wszyscy ją lubią, bo zawsze się uśmiecha, nawet jak za bardzo krzyczymy, i pozwala mówić do siebie po imieniu. Poza tym ma największe niebieskie oczy, jakie kiedykolwiek widziałem. Czasem wyobrażam sobie, że można by po nich pływać małą żaglówką jak po jeziorach. Pewnie jej włosy są długie i jasne jak u Bożenki, ale tego nie wiemy, bo ma je schowane pod granatowym welonem. Gdyby nie była siostrą, mogłaby być moją mamą, oczywiście gdybym nie miał tej, którą już mam. Zawsze kiedy Noemi już za bardzo przynudza o warkoczach Marii Magdaleny i niebieskiej sukience Matki Boskiej, co bardzo lubią dziewczyny, prosimy ją o coś konkretnego i wtedy przerzuca się na wskrzeszenie Łazarza albo wyrzucanie ze świątyni faryzecośtam. Najbardziej lubię opowieści o tym, jak straż przychodzi po Jezusa i Piotr, Jego najlepszy kumpel, chce się wymigać, że niby Go nie zna i w ogóle. Świnia, nie przyjaciel! Ja bym mu tego nie wybaczył! Szkoda, że Albert nie może posłuchać tych wszystkich opowieści, ale kiedy już dochodzimy do plebanii, zawsze się wykręca i mówi, że w kościele boli go głowa, więc wraca do domu. No, a jemu przecież nikt nie może niczego kazać, bo nie ma babci ani rodziców. Farciarz.

Oczywiście wszystkie sensowne miejsca były już zajęte, zostało tylko jedno w pierwszej ławce. Musiałem przeparadować przez całą salę, więc bąknąłem tylko do siostry „przepraszam za spóźnienie" i poczułem, jak spojrzenia wszystkich przyklejają się do moich butów. Tym z tyłu mogłem niepostrzeżenie rozdać jedną czy dwie fangi w dziób za chichoty i komentarze, ale im bliżej tablicy, tym trudniej. Podniosłem więc tylko wyżej głowę i z udawaną dumą zasiadłem przed siostrą Noemi, która z kolei próbowała udawać, że wcale nie patrzy na moje buty.

Chociaż na katechezie mówiliśmy dużo o niebie, na przerwie rozpętało się piekło:

– O kurde, Longin, ty masz babskie buty!

– Kozaczki mamusi nosi, co za frajer!

– E, chłopaki, Longin został dziewczyną, ciekawe, czy pod spodniami ma białe rajstopy!?

Po tym ostatnim przypomniało mi się, że nie cierpię, kiedy mama mówi do mnie „Martuś", więc coś się we mnie zagotowało. Postanowiłem jednak przełknąć wściekłość i zrobić tak, jak robią kowboje na westernach: podniosłem się powoli z ławki i z kamienną twarzą zacząłem obracać głowę w stronę wrzeszczących imbecyli, a w miarę, jak się do nich odwracałem, głupawe komentarze cichły. Ma się ten respekt. Tyle że trzeba nieustannie nad nim pracować.

– Kompromitujecie się, panowie. Widać od razu, że nic a nic nie znacie historii naszego kraju. Te buty – postawiłem jedną nogę na ławce, ale zaraz ją zdjąłem, bo siostra się skrzywiła. – Te buty odziedziczyłem po moim dziadku oficerze, który miał je na sobie podczas cudu nad Wisłą. Słyszeliście kiedyś o takim cudzie, czy z cudów znacie tylko wskrzeszenie Łazarza? – Tu siostra znów się skrzywiła. – Te buty nazywają się oficerki i w takich samych chodził marszałek Piłsudski. Popatrzcie sobie na jego zdjęcia, chyba że macie w domu tylko zdjęcia Lenina. I, jakbyście mieli wątpliwości, są au-ten-tycz-ne.

W sali najpierw zrobiło się cicho, a potem przetoczył się przez nią szmer podziwu. Siostra Noemi odchrząknęła i zarządziła koniec przerwy. Ale ja nie słuchałem już o Jezusku. W swojej głowie tryumfowałem. Byłem królem świata. Dziewczyny rzucały mi ukradkiem rozkochane spojrzenia. Czułem je na sobie, mimo że siedziałem do wszystkich tyłem. Kąpiąc się w samozadowoleniu, nawet nie zauważyłem, kiedy skończyła się katecheza. Nagle usłyszałem nad swoją głową donośny głos starszego brata Pisu, prawie już licealisty, który przyszedł go odebrać.

– O ja cię kręcę, Longin, normalnie masz babskie buty, identyczne jak moja babcia! Szkoda, że nie mam aparatu, zrobiłbym ci zdjęcie. No nie mogę, ale jaja!

Czar oficerek prysł w okamgnieniu. Mój wątły, oparty na kłamstwie autorytet nie wytrzymał zderzenia z autorytetem piętnastolatka, który miał skuter, dziewczynę i od paru tygodni już się golił. Wszyscy nagle obrócili się przeciwko

mnie. Nie słuchałem już nawet, co mówili, ale ich twarze wykrzywione były w szyderczych grymasach. No cóż, nici z bycia opanowanym kowbojem. Trzeba użyć innych argumentów. W związku z tym dałem w dziób dwóm chłopakom, a z trzecim zacząłem się szarpać za włosy. Nasz pojedynek przerwała dopiero babcia.

– Co to za bicie się w kościele?! Chcesz pójść do poprawczaka czy od razu do piekła? – dopytywała się zdenerwowana, kiedy wracaliśmy w deszczu do domu.

– Nie, babciu – odparłem godnie, powstrzymując łzy. Podbite oko zaczynało mi właśnie puchnąć i strasznie bolał mnie nos. – Walczyłem, broniąc honoru dziadka i jego oficerek.

– Co ty wygadujesz, dziecko? Muszę o tym powiedzieć twojemu ojcu, bo albo za wcześnie dojrzewasz, albo masz za dużo energii. A mówiłam, żebyś poszedł poćwiczyć do piwnicy? – zrzędziła babcia. Nagle się zatrzymała, jakby coś do niej dotarło. Spojrzała na mnie łagodnie, pogłaskała po głowie i tonem, jakiego używała tylko wtedy, gdy mówiła o Jezusku, powiedziała: – Aniołeczku, byłeś bardzo dzielny. Honor to ważna rzecz. Dziadek będzie z ciebie dumny. Tylko nie mów rodzicom o tym wszystkim, co się wydarzyło, ja też im nic nie powiem. Dobrze? To będzie taka nasza mała tajemnica, mój mały bohaterze.

– Dobrze – wzruszyłem ramionami, nie bardzo rozumiejąc tę nagłą przemianę. No, ale wiadomo, kobieta. Zmienna jest. Dziadek tak czasem mówi.

Kiedy weszliśmy do domu, babcia od razu schowała książkę, w której wcześniej pokazywała mi obrazek z marszałkiem Piłsudskim. Oficerki też zniknęły następnego dnia – podobno tak zmokły, że trzeba było je wyrzucić.

# ROZDZIAŁ SIÓDMY

**DZISIAJ KLASÓWKA Z MATMY.** Od tych wszystkich ułamków, ćwiartek i zer po przecinku mam gęsią skórkę. Albo jestem chory. Właśnie, to jest myśl! Tyle że jak ostatnim razem ogrzewałem termometr pod lampką, niechcący go stłukłem i mama jeszcze nie kupiła nowego. I jak ją teraz przekonam, że nie powinienem iść do szkoły? Gdyby nie ta wpadka z jesieni, po prostu zadzwoniłbym do budy i wyszeptał do słuchawki informację o podłożonej bombie. Wtedy się udało, woźna włączyła alarmowy dzwonek i wszyscy musieli wyjść poza teren szkoły. A potem przyjechali milicjanci z psami, które miały szukać bomby, ale jej nie znalazły, bo częstowaliśmy je naszymi śniadaniami. I jakieś dwa miesiące później jeden chłopak z ósmej c wyleciał ze szkoły, bo okazało się, że to on zadzwonił z alarmem bombowym. Szkoda, gdyby się tak nie pospieszył, ja byłbym pierwszy i tata nie zdążyłby mi tego zabronić. Oznajmił, że przyniosę mu wstyd, jeśli w ogóle kiedykolwiek nawet o tym pomyślę, więc lepiej będzie, jak nic nie powiem. Ale w końcu od czasu do czasu można sobie pomarzyć, no nie?

– Martuś, wstawaj, bo zaraz spóźnisz się do szkoły! Syneczku, pora wstawać do przedszkola! Kochanie, jest tyle śniegu, że będziesz musiał najpierw odkopać samochód! – Mama była w trzech miejscach jednocześnie: w naszym pokoju, w kuchni i w łazience.

– Mamo? Chyba mnie gardło boli i tak jakoś kręci mnie w nosie, może... – zawołałem słabym głosem, nie podnosząc się z łóżka. Czasem trzeba podjąć ryzyko.

– Pokaż. – Zapaliła górne światło i kazała otworzyć usta. – Jak zaraz nie wstaniesz, to osobiście skręcę ci ten nos – oznajmiła i pobiegła do łazienki, dokąd Brachol udał się przed chwilą, przydeptując spodnie od pidżamy. Zwlokłem się z wyrka i odsłoniłem okno. O rany, ile śniegu! Podwórko całkiem zasypało, a naszego samochodu prawie nie było widać spod białej czapy. Hurra! Sanki! I bitwa śnieżna! I pójdziemy na łyżwy! Ubrałem się szybko, w przelocie wypiłem kubek kakao, chwyciłem klucz i pobiegłem prosto do szkoły. Może ją zasypało i nie będzie dziś klasówki?

**O DZIWO, CHOĆ ZASPAŁEM**, dotarłem przed lekcjami. Pod szkołą Pacio i Mistrzunio bombardowali śnieżkami Damianka schowanego za drzewem i od czasu do czasu rzucali w dziewczyny. Pisu próbował natrzeć śniegiem Nikę, ale się przeliczył i po chwili wylądował bez czapki na głowie twarzą w zaspie, a Nika wpychała mu garściami śnieg za kołnierz.

– Czołem, chłopaki! – Zrzuciłem tornister i dołączyłem do nich. – Idziemy dzisiaj po budzie na sanki na Olszynkę? – zapytałem między jedną a drugą śnieżką, które (obie! Je-stem mi-strzem! Je-stem mi-strzem!) trafiły Damianka w czoło. Akurat przechodziła facetka od muzyki, więc Damianek schowany za nią z krzykiem uciekł do szkoły.

– Mowa! Jasne, że idziemy – odparli zgodnym chórem i otrzepawszy się ze śniegu, ruszyliśmy na lekcje, bo właśnie zadzwonił dzwonek.

Pierwsza była matma, a że drzwi od sali nigdy nie zamykano na klucz, bo kiedyś zepsuliśmy zamek, weszliśmy od razu do środka. Przed polakiem musimy za to stać grzecznie na korytarzu przed salą i czekać, aż facetka wpuści nas do środka. Rzuciłem rzeczy na ławkę i wyjrzałem przez okno. Wciąż sypał śnieg, a my musimy tu siedzieć i...

– Usiądźcie i wyjmijcie kartki. Zeszyty i książki zostają w tornistrach.

A jednak. Miałem nadzieję, że może facet od matmy z tym swoim sztucznym okiem wpakuje się w jakąś zaspę albo ktoś pomyli go z bałwanem i zatka marchewką.

Nie mówiłem wam o sztucznym oku? Jest naprawdę super! W ogóle się nie rusza i czasem odbija się w nim słońce – wtedy facet wygląda jak Superman z laserowym spojrzeniem, zupełnie jak ten z komiksu, który Piotrek dostał od taty z zagranicy. Przez to oko nigdy nie wiadomo, na kogo właśnie patrzy i kogo wyciągnie do odpowiedzi. Teraz odwrócił się do nas tyłem i zanim zaczął pisać na tablicy, potarł ją palcem. To dlatego, że ostatnim razem zrobiliśmy mu kawał i nasmarowaliśmy ją wazeliną. Pięknie się błyszczała i w ogóle nie dało się po niej pisać kredą. A kto wpadł na ten genialny pomysł? Chyba nie muszę wam mówić?

– Longin, dasz ściągnąć? – szepnął nerwowo Krzysiek.

– Chyba na głowę upadłeś? Ja?! A niby od kogo ja mam ściągnąć? – odszepnąłem równie nerwowo, bo to nie jest wcale fajne, kiedy człowiek liczy na kumpla, a kumpel okazuje się tak samo nieprzygotowany, bo liczył na człowieka. Jak znowu dostanę pałę, rodzice na bank zamkną mnie w domu i zamiast zjeżdżać z górki, będę musiał zakuwać. Rozejrzałem się po sali, ale tylko Damianek, czerwony z emocji (kartkówki zawsze tak na niego działały), wyglądał, jakby umiał więcej od nauczyciela. I po co w niego rzucałem tymi śnieżkami?

– Gotowi? To czytam wasze zadanie, które skrótowo zapisałem tutaj. – I postukał kredą w tablicę, na której widać było w rządku: 12, 2, $\frac{1}{3}$, $\frac{2}{5}$. – „Na przyjęciu urodzinowym Heńka było dwanaście ciepłych lodów. Najpierw przyszła Danusia i zjadła dwa, po niej Kazik zgarnął jedną trzecią z tego, co zostało, a kiedy wyszedł ze swoją porcją do drugiego pokoju, Marian zjadł dwie piąte reszty. Ile lodów zostało dla Heńka?"

– Dwanaście ciepłych lodów – mruknął z rozmarzeniem Tomek z ostatniej ławki. Tomek jada zawsze i wszędzie, najczęściej kanapki z mortadelą albo dżemem, które robi mu babcia. Dziwnym trafem pojawia się w pobliżu akurat wtedy, kiedy inni wyjmują z tornistrów drugie śniadanie, i tak długo wpatruje się w jedzenie, aż w końcu właściciel kanapki owiniętej w brązowy papier pyta umęczonym głosem: „Chcesz gryza?". Zawsze chce.

– Nie gadać, bo nie będę powtarzał – burknął matematyk, a jego sztuczne oko spojrzało na nas złowieszczo.

– Ale, proszę pana... – Monika podniosła palec w górę. – Danusia na pewno zjadła aż dwa? Bo wie pan, te lody są strasznie słodkie i mama mówi, że nie można jeść więcej niż jeden dziennie.

Facet otworzył usta, jakby chciał coś powiedzieć, ale najwyraźniej się rozmyślił, bo milcząc, podkreślił na tablicy cyfrę 2.

– A to Kazik czy Marian zjadł jedną trzecią? – dopytywał się Pacio.

– Marian, na pewno Marian – zachichotał Mistrzunio, bo jego tata, który ma tak na imię, uwielbia jeść.

– Cisza! – wrzasnął podenerwowany matematyk. – To klasówka, macie liczyć. Do roboty!

– Ale które to są urodziny Heńka? – nie dawał za wygraną Jacol.

– Co to za różnica?! – wydarł się facet, ocierając czerwone czoło wielką kraciastą chustką do nosa.

– Ogromna, bo jeśli to są dziesiąte urodziny, to skoro tak biedaki się obciachowo nazywają, powinni sobie poużywać i zjeść, ile wlezie. No a gdyby mieli po pięćdziesiąt lat, to całkiem inna sprawa, bo dorośli nie lubią ciepłych lodów, wolą już wó...

– Przestań! W tej chwili przestań! Daj dzienniczek, wpiszę ci uwagę. Nie, nie teraz, jak skończysz klasówkę. A ty dokąd? – zapytał zdziwiony na widok Tomka sięgającego już do klamki.

– Bo tyle o tych lodach mówimy, że zgłodniałem i właśnie przypomniałem sobie, że na korytarzu została czyjaś kanapka, więc ja tylko na chwilę...

– Siadaj! Natychmiast! I nie ruszaj się do końca lekcji! – Facet był już cały czerwony, a sztuczne oko wyglądało tak, jakby miało mu za chwilę wypaść.

– To jak mam niby napisać tę klasówkę, skoro nie wolno mi się ruszać? – wymamrotał z ławki oburzony Tomek.

– Proszę pana! A nie mogłyby to być prawdziwe lody? Takie zimne, waniliowe albo jagodowe? – Gosia siedzi na lekcjach razem z Damiankiem, bo jako jedyna z całej klasy nie próbuje od niego ściągać. – Wtedy na pewno wszyscy by zrozumieli i bez problemu rozwiązali zadanie.

Wówczas matematyk chwycił się za głowę, jakby chciał sobie wyrwać włosy po obu stronach tuż nad uszami, zajęczał coś cicho i wybiegł z sali.

Wystarczyło nam jedno porozumiewawcze spojrzenie. Skoczyłem do drzwi i stanąłem na czatach, Mistrzunio założył wydzierającemu się Damiankowi chwyt zwany nelsonem, a Pacio sprawdził obliczenia na kartce naszego kujona, porównał je ze swoimi i podyktował wszystkim odpowiedź. Krzysiek wpisał ją na swojej oraz mojej kartce, a kiedy na korytarzu zobaczyłem matematyka z dyrektorem, szybko wróciłem do ławki. Mistrzunio zdążył jeszcze przekonać Damianka, że nie opłaca się zdradzać szczegółów nauczycielowi, i zanim otworzyły się drzwi, wszyscy grzecznie siedzieliśmy na swoich miejscach.

Dyrektor, który śmiesznie wygląda przy wysokim matematyku, bo jest niski i okrągły, spojrzał na nas zdumiony, wziął do ręki klasówkę Gosi i uśmiechnął się pod nosem.

– No no, panie kolego, nie uważa pan, że Henio zjadł zdecydowanie za dużo ciepłych lodów? – zapytał pobłażliwym tonem matematyka, który znów poczerwieniał na twarzy. Po czym poklepał go po ramieniu (musiał przy tym stanąć na

palcach) i wyszedł, zamykając za sobą cicho drzwi. Na szczęście nie dostrzegł ani mnie, ani Krzyśka, bo od tamtego wypadku z wysadzeniem budy staramy się go raczej unikać.

Chcecie wiedzieć, jak to było? Jakoś w zeszłym roku postanowiliśmy raz na zawsze pozbyć się problemu z obowiązkiem edukacji. Przypomniało mi się, jak jeden pułkownik opowiadał kiedyś tacie, że w dzisiejszych czasach można właściwie zrobić bombę z przedmiotów codziennego użytku, które bez problemu da się kupić w sklepie z chemią gospodarczą. Podziałało mi to na wyobraźnię. Niestety nie zapamiętałem dokładnie wszystkich składników, ale uznałem, że zamienniki typu płyn do mycia toalet, kilka kostek szarego mydła oraz kilogram gwoździ będą odpowiednie. Zmieszaliśmy wszystko w największym garnku mamy, którego używamy do podgrzewania wody do mycia, kiedy akurat nie ma ciepłej wody w kranie. Wyszło coś strasznie gęstego, co musieliśmy potem wyskrobać i zawinąć w gazetę. W tym czasie Jacol z Mistrzuniem zajęli się organizowaniem dziury w ścianie budy. Mieli do tego wybitne predyspozycje: pierwszy z nich z uwagi na śliczną buźkę jest ulubieńcem wszystkich nauczycielek, a drugi – sportowiec i kapitan drużyny – nauczycieli. Nawet gdyby wpadli z tą dziurą, wyszliby z tego cało. Nie wiem, dlaczego nie zrobili jej na zewnątrz, od strony sali gimnastycznej, gdzie nikt nie chodzi, i zamiast tego wybrali korytarz prowadzący do stołówki. Co prawda nikt ich nie złapał, kiedy wydłubywali dziurę scyzorykami, ale za to kiedy razem z Krzyśkiem przystąpiliśmy do upychania w niej naszej bomby, wpadła na nas woźna. To znaczy, zanim zorientowaliśmy się, że stoi za naszymi plecami i bacznie nam się przygląda, pieczołowicie ulokowaliśmy wybuchowy pakunek w dziurze, a reszta bandy dała nogę. Woźna bez słowa zawlokła nas do gabinetu dyrektora, który na próżno próbował wyciągnąć z nas prawdę – postanowiliśmy milczeć, choćby nawet miał nas wziąć na tortury. Ale tak naprawdę wściekł się, dopiero kiedy zobaczył tę dziurę. I powiedział, że jak jej nie załatamy do końca dnia, wezwie rodziców. O rany. Jakbym powiedział tacie, że jest wezwany do dyra, to pewnie strasznie by się zdenerwował, zrobił czerwony i powiedział coś w stylu: „Chcesz mnie wpędzić do grobu, mało mam i bez ciebie problemów, musisz mi taki wstyd przynosić?!". Trzeba więc było szybko działać.

Najpierw Krzysiek znalazł w szkolnej bibliotece książkę *Zrób to sam*, gdzie wyczytaliśmy, że do załatania dziury potrzebny jest gips. Popytaliśmy wokół, gdzie go szukać, i Damianek, który zawsze wszystko wie najlepiej, oznajmił, że gipsu pod dostatkiem jest w szpitalu, bo właśnie tam kiedyś założyli mu go na złamaną nogę. Mama Jacola jest pielęgniarką i tylko dzięki niemu wydębiliśmy trochę białego proszku, który w ogóle nie wyglądał jak coś, czym powinno się łatać dziury w ścianie. Wtedy Krzysiek jeszcze raz zajrzał do książki ze szkolnej biblioteki i doczytał, że proszek trzeba rozrobić z wodą, ale zanim dotarł do fragmentu z odpowiednimi proporcjami, wsypałem gips do wiaderka pełnego wody. Mieszaliśmy i mieszaliśmy, ale nic nie gęstniało!

– Wiesz, to wygląda zupełnie jak ciasto na naleśniki mojej mamy – powiedział Krzysiek. – Tylko pachnie gorzej.

– Chyba w tej książce był jakiś błąd, ale spróbujmy. Co mamy do stracenia? – Wzruszyłem ramionami i zaczęliśmy wlewać gips do dziury. Woźna nie pozwoliła nam wyjąć wcześniej bomby, bała się większych uszkodzeń ściany, więc musieliśmy zamurować w środku ładunek. Ale im więcej wlewaliśmy, tym więcej się wylewało, a czas mijał. Wreszcie Krzysiek wyjął z tornistra najgrubszy zeszyt i zatkał nim wyciekający gips.

– Teraz potrzymaj chwilę i się nie ruszaj – poradziłem mu i klapnąłem obok na podłogę. Byłem wykończony. Pół godziny później woźna oznajmiła, że czas się już skończył, i poszła po dyrektora. Krzysiek puścił zeszyt i...

– Hurra! Udało się! Załataliśmy dziurę! – wrzasnąłem ucieszony, jakby co najmniej udało nam się wysadzić budę w powietrze.

– Ale, Longin, mój zeszyt...

Zeszyt Krzyśka tkwił dokładnie w tym miejscu, gdzie przedtem była dziura, i choć próbowaliśmy oderwać go od ściany, ani drgnął.

– Trudno, poświęciłeś się dla większej sprawy. W sumie to lepsze niż pomnik. Teraz następne pokolenia będą o tobie pamiętać dzięki... – ale nie dokończyłem zdania, bo na horyzoncie pojawił się dyrektor razem z woźną. Kiedy zobaczył zeszyt do historii wmurowany w ścianę, wściekł się jeszcze bardziej i oznajmił, że mamy się mu nie pokazywać na oczy. Nie powiedziałem w domu o tym wydarzeniu, ale rodzice i tak się dowiedzieli. Albo od dyra, albo od taty Mistrzunia, bo on czasem na wywiadówce lubił usiąść z moim tatą w ostatniej ławce i zamiast słuchać facetki, opowiadali sobie różne kawały. Tata z wywiadówki przyszedł zły i znowu zabrał się do szukania paska, mama trochę popłakała, więc tata od razu przestał, a ja na wszelki wypadek siedziałem cicho. Babcia tym razem zamiast straszyć mnie piekłem, poprawczakiem i klęczeniem na grochu, następnego dnia spakowała do pudełka po butach kilkanaście swoich legendarnych pączków i zaniosła je dyrektorowi. Fajna ona jest, ta moja babcia.

Historia z wysadzaniem szkoły wydała nam się tak świetna, że nie mieliśmy serca trzymać jej tylko dla siebie. Dlatego podczas dużej przerwy opowiedzieliśmy ją Nice, która chodziła do innej klasy i w szkole widywaliśmy się tylko między lekcjami.

– Ale z was bohaterzy! – powiedziała z uznaniem i obaj się zaczerwieniliśmy.

Właściwie to szkoda, że Nika nie wygląda bardziej jak Bożenka. Kiedyś miała dwa warkocze, ale po tym jak Jacek Bez Ręki uciął jej jeden dla żartu, ścięła włosy na krótko i teraz sięgają jej do ucha. W sumie nie wygląda tak źle, no ale nie nosi spódnic jak inne dziewczyny i nie ma żadnych pierścionków. Ma tylko taką fajną plecioną bransoletkę, którą dostała na urodziny od starszej siostry. Gdyby chociaż prowadziła jak nasze koleżanki specjalny zeszyt zwany Złote Myśli, mógłbym się dowiedzieć, czy Krzysiek z nią chodzi. Bo przecież go o to nie zapytam, nie? Jeszcze sobie coś pomyśli.

– Słyszałam, że to twój zeszyt – usłyszeliśmy nad sobą najcudowniejszy głos na świecie. Siedzieliśmy we trójkę na podłodze pod ścianą, ja z podkurczonymi nogami, bo jeśli je wyprostuję, dosięgam ściany naprzeciwko i blokuję cały korytarz. Podniosłem głowę, nie wierząc, że słyszę głos Bożenki. A jednak! Zatrzymała się koło nas i uśmiechała do (no nie!) Krzyśka, a ten głupek szczerzył się do niej, jakby była co najmniej woźną, której trzeba się podlizywać. W białych podkolanówkach, czarnych lakierkach ze sprzączką z boku i spódniczce w czerwoną kratkę wyglądała naprawdę ładnie, wcale nie jak woźna, która jest ogromna jak czołg i chodzi w bezkształtnych sukienkach oraz drewnianych chodakach. Zerknąłem kątem oka na Nikę, która nawet nie zauważyła Bożenki i dalej się zaśmiewając, opowiadała o facetce od muzyki:

– I wiecie, wzięli instrumenty i zaczęli się wygłupiać, a ona na to: „Schów ten fljet, bo ci dwojkie wstawie!".

Krzysiek jeszcze długo gapił się w kierunku, w którym poszła Bożenka, ja gapiłem się na niego, a Nika wciąż chichotała.

Te baby są jednak jakieś dziwne.

# ROZDZIAŁ ÓSMY

**PRZEZ CAŁĄ ZIMĘ** chodziliśmy codziennie na sanki. Tata nawet załatwił mi nowe hokejówki, jak się okazało, że wyrosłem ze starych, i mogłem jeździć z chłopakami na lodowisku. Na początku grudnia chwycił mróz. Pewnej soboty przyjechali strażacy i wylali na boisko mnóstwo wody, a w niedzielę od samego rana kłębił się tam tłum dzieci z rodzicami. Wszyscy wyciągnęli łyżwy i nie dało się nawet włożyć tam palca. Ale wystarczyło, że temperatura spadła o kolejnych kilka kresek, i została tylko garstka najwytrwalszych, czyli my. Zima jest fajna. Damianek, który jest w naszej paczce podwórkowej, wciąż marzy, by dostać się do paczki szkolnej, co zimą robi się naprawdę fajne, bo można mu dawać dodatkowe zadania. Raz powiedzieliśmy mu, że jak ulepi z nami bałwana, to go przyjmiemy. Ucieszył się frajer, ale mina mu trochę zrzedła, kiedy zaczęliśmy lepienie. Musiał stać prosto z wyciągniętymi ramionami, a my doklejaliśmy na nim kolejne partie śniegu. Pękł, zanim doszliśmy do głowy. Trochę popłakał, powiedział, że wszystko powie mamie, ale wtedy dożywotnio straciłby szansę na wejście do paczki, więc zrezygnował.

Kiedy zrobiło się trochę cieplej, sanki i łyżwy powędrowały z powrotem na strych, a ulubioną zabawą Alberta stało się liczenie psich kup wyłażących spod śniegu. Zauważyłem, że w ogóle ostatnio mój najlepszy kumpel dziwnie się zachowuje. Na przykład unika towarzystwa Niki. Kiedy wychodzimy gdzieś razem z nią, biegamy po Olszynce i włazimy na drzewa, on zamyka się samotnie w pokoju. Pewnego dnia postanowiłem z nim o tym wreszcie pogadać. Usiedliśmy na podwórku pod drzewem, którego cień chociaż odrobinę chronił przed ostrym słońcem.

– Gorąco tu, co? Już coraz bliżej do wakacji. Pojedziesz z nami do babci do Sierpca? – zapytałem Alberta, kiedy przyglądaliśmy się Grubemu targającemu z garażu nowe skrzynki po mleku. Coś ciężko mu szło, ledwo dyszał, chociaż wcale nie wyglądały na przeładowane. Albert skinął głową i zaproponował, żebyśmy mu pomogli. Grubemu? No dobra, czemu nie, i tak nie mamy nic do roboty.

– Pomóc panu z tym? – zapytałem, stając przy samej siatce.

Spojrzał nieufnie, zastanowił się i po chwili wpuścił mnie do środka. Razem poszło nam znacznie sprawniej. Zasapany Gruby w ramach podziękowań pokiwał tylko głową, ale godzinę później, gdy dalej siedzieliśmy z Albertem pod drzewem, gadając o różnych sprawach, czyli o wszystkim, tylko nie o Nice, wynurzył się z garażu z kołem od roweru.

– Zobacz, nie ma szprych, do niczego mi się nie przyda. Chcesz kosz do gry w piłkę? To masz. – I podał mi je nad siatką. Oniemiałem z wrażenia. Albert szturchnął mnie łokciem, więc wyjąkałem podziękowanie, a Gruby z rozpędu zaproponował, że pomoże mi je zamontować na ścianie garażu.

Kiedy godzinę później na podwórku zjawili się Krzysiek z Piotrkiem, opadły im szczęki.

– Ej, Longin, jak to zrobiłeś?!

– Nasz własny kosz? Niemożliwe!

– Bajerancko! Jesteś gość!

– Sie wie – oznajmiłem skromnie i pozwoliłem im porzucać jako pierwszym. W pewnej chwili piłka odbiła się od ściany i rykoszetem trafiła w samochód taty. Škoda zaparkowana była między drzewkiem a ścianą kamienicy. Tata specjalnie zostawiał ją dokładnie pośrodku, żeby nie zbombardowały jej ani gołębie siedzące na gałęzi, ani te na parapetach. Piłka odbiła się miękko od maski i spadła na piasek. To naprowadziło mnie na myśl, jak zaimponować chłopakom jeszcze bardziej. Nie zastanawiając się wiele, pobiegłem do domu. Kluczyki były tam gdzie zawsze, w koszyku na lodówce. Rodzice z Bracholem pojechali autobusem na sobotni targ, gdzie nigdy nie ma gdzie zaparkować, i nieprędko mieli wrócić. Czy może być coś piękniejszego? Zszedłem spokojnie na dół z rękami w kieszeniach, stanąłem koło auta i nie odwracając się nawet do chłopaków rzucających wciąż do kosza, powiedziałem od niechcenia:

– Nie chcecie się przejechać?

Ten dzień należał tylko do mnie. Co tam dzień! Cały świat należał tylko do mnie! Byłem gościem. Byłem mistrzem. Byłem szefem wszystkich szefów. Cóż, najwyraźniej mam do tego predyspozycje. Wsiedliśmy do środka i zamknęliśmy drzwi. Chłopaki spojrzeli wyczekująco, Albert siedział z tyłu obok Piotrka i wpatrywał się we mnie w lusterku wstecznym. Nie był zachwycony, cóż – na jego miejscu też bym nie był, w końcu to j a mam kluczyki i to j a siedzę za kierownicą.

– Ruszamy?! – zawołał niecierpliwie Krzysiek.

I ruszyliśmy. Całe dwa metry do przodu, gdzie pod drzewkiem leżała sterta desek i stare okna z jednego z mieszkań. Ktoś kiedyś wymienił je na nowe i nigdy nie sprzątnął tego z podwórka. Nie było szans na zawrócenie na tak małej przestrzeni, więc mogłem jedynie wycofać na to samo miejsce, bo tuż za nami była już ściana kamienicy. Jeździliśmy tak

dwa metry do przodu i dwa do tyłu chyba z pół godziny, aż wreszcie z okna wychyliła się pani Magda i zawołała Piotrka na obiad. Wtedy właśnie drgnęła mi noga na pedale gazu i zamiast zahamować, przygazowałem. Według mnie najpierw słychać było huk, a dopiero potem poczuliśmy wstrząs, ale chłopaki twierdzą inaczej. Tak czy siak, zderzak lekko się wgniótł, a lakier naszej škody w kolorze brudnoszarym jakby trochę odprysnął w jednym miejscu.

– Jaki lakier? Przecież to dziura, mogę włożyć do niej palec. Sam zobacz – Krzysiek sprostował moje obserwacje. – Potrzebujesz tyle – i pokazał dokładnie długość palca wskazującego – czegoś tam, żeby ją zatkać. No i jakoś zakryć, nie? Bo tata cię zabije.

Nie musiał mi tego mówić. Sam to wiedziałem.

Piotrek dostał cykora i od razu się ulotnił, tłumacząc, że jak się spóźni na obiad, dostanie szlaban do końca świata.

Gorączkowo myślałem o tym, co mogę zrobić, zanim tata wróci z targu. A gdybym powiedział, że to sprawka Brachola? Zakradł się z widelcem i zrobił dziurę w samochodzie? E, odpada, przecież jest z rodzicami. To może kura z podwórka obok? Oni tam chowają drób w garażu. Przekopała sobie tunel pod kamienicą i wypełzła z niego akurat tu, a nasze auto było pierwsze z brzegu, zaczęła dziobać i... Nie, też nie. Albo na przykład nowa odmiana korników, które zrezygnowały z drewna na rzecz blachy i... Mało wiarygodne. Mam! Strzelanina na naszym podwórku! Zamach na Grubego, milicjanci chcieli go odbić, strzały, kule latały od ściany do ściany i jedna z nich trafiła w auto. Genialne!

– A jak twój tata zapyta sąsiadów o strzelaninę? – zapytał sceptycznie Krzysiek.

– Nie pomagasz mi! – warknąłem zniechęcony. I co ja teraz zrobię? – Podwieziesz mnie na bagażniku na Olszynkę?

– Dajesz nogę z domu? – spojrzał na mnie z podziwem.

– Nie, zamierzam rzucić się pod pociąg, a szkoda, żeby mój rower się zniszczył – oznajmiłem, siadając w kucki pod ścianą. Dziura w samochodzie znajdowała się dokładnie na wprost mnie. Dało się zajrzeć do środka bez otwierania bagażnika. I wtedy mnie olśniło.

– Plastelina! – krzyknąłem i pobiegłem do domu. Musiałem przekopać cały pokój, zanim ją znalazłem. Niestety w pudełku był ostatni kawałek w białym kolorze, co niezbyt mnie urządzało, ale na bezrybiu i rak ryba (facetka od polaka byłaby ze mnie dumna!). Ze stołu ściągnąłem jeszcze wczorajszą gazetę i tak zaopatrzony popędziłem z powrotem na podwórko.

– Biała? – skrzywił się Krzysiek. – Przecież będzie ją widać. I trochę za mało, żeby zatkać całą dziurę.

– Nie bój żaby. W końcu kto tu ma najlepsze pomysły?

Jakbyście nie wiedzieli – ja, oczywiście, że ja. Kazałem mu ugniatać plastelinę, a następnie ubrudzić ją, więc Krzysiek wytarł nią kamienie, ściany kamienicy, aż wreszcie odkrył złoża brudu na parapecie Grubego i po sekundzie trzymał w ręku obrzydliwie szarą masę.

– Idealna. A teraz daj mi połowę i zajmij się gazetą. Zmocz ją i pognieć tak, żeby dało się wcisnąć do środka.

Najpierw zatkałem otwór po wewnętrznej stronie bagażnika, potem wepchnęliśmy mokrą gazetową masę, która perfekcyjnie zatkała dziurę, a na samym końcu szarą plasteliną zamaskowałem otwór od zewnątrz. Jak się zmrużyło oczy i stanęło pięć kroków od auta, w dodatku pod słońce, to prawie nic nie było widać. Prawie.

– No, stary, będziesz żył. – Poklepał mnie z uznaniem po ramieniu Krzysiek. – Lecę na obiad. To co, mały wyścig dziś po południu?

O tak, sobota to idealny dzień na Wyścig Pokoju rozgrywany za pomocą kapsli po torze narysowanym kredą w bramie. Przejrzałem swoją kapslową kolekcję i wytypowałem dzisiejszych zawodników. Arabii Saudyjskiej zamazała się szabla, którą tak pieczołowicie rysowałem w zeszłym tygodniu. Nie potrafiłem odtworzyć tego dziwnego napisu, który mają na fladze, to chciałem mieć chociaż białą szablę na ciemnozielonym tle. Na Ghanie gwiazdkę domalowałem już długopisem, bo atrament jest zbyt ryzykowny, zwłaszcza na mokrej nawierzchni. W pierwszej trójce plasowały się jeszcze Niemcy. Chciałem też wystawić do wyścigu Anglię i Francję, ale to zawodnicy Krzyśka. Piotrek ma z kolei Kanadę i Australię. Damianek zaklepał sobie Polskę i Sri Lankę z takim śmiesznym ni to lwem, ni smokiem. Pracował nad nim tak długo, że aż żal mu grać tym kapslem. Wybraną trójkę odłożyłem na bok, a resztę uważnie przejrzałem. Prawie wszystkie wymagały poprawek – w sreberkach po czekoladzie szybko robią się dziury, a kolorowe papierki naprawdę trudno znaleźć. Ostatnio Piotrek dostał z zagranicy paczkę od taty i podzielił się z nami cukierkami. Nadziewane czekoladki oddałem mamie zaraz po tym, jak delikatnie zdjąłem z nich papierki. Wyprostowane zwilżałem wodą, prasowałem przez ścierkę żelazkiem, a potem wkładałem między kartki *Pana Samochodzika*. Po kilku dniach były gotowe do wycinania i przyklejania na wyczyszczone kapsle.

**PO OBIEDZIE WYJRZAŁEM PRZEZ OKNO**. Damianek już skończył rysować tor wyścigowy, wziąłem więc moją reprezentację, po drodze zapukałem do Piotrka i we dwójkę zeszliśmy na podwórko. Po chwili coś zadudniło na schodach. To Brachol z impetem wypadł przez drzwi, ściskając coś w ręku.

– Mogę zagrać z wami?

– Zwariowałeś. To nie zabawa dla maminsynków, tylko Wyścig Pokoju. Spadaj stąd – mruknąłem.

– Ale ja też chcę grać! Mam swój kapsel!

– Od mleka czy lemoniady? Zabieraj stąd te swoje dziecinne zabawki i leć do mamy, ale już!

To, że młodszy brat czasem się do czegoś przydaje, nie oznacza jeszcze, że wolno mu psuć najważniejsze zawody.

Wyścig Pokoju to nie przelewki! Wyścig Pokoju to mistrzowie kapsli, to...

– Skąd ty to masz? – wyjąkałem zdumiony na widok kapsla, który Brachol położył na wyciągniętej dłoni. To nie był po prostu kapsel, to był kapsel nad kapsle, mistrz, faworyt, numer jeden. To był kapsel z pudełeczka po maści tygrysiej, całkowicie gładki na brzegach, więc podczas pstrykania nie ranił palców ostrymi ząbkami jak zwykłe kapsle.

– Ooooo! Pokaż! Super! Jaki fajowski! Dasz spróbować? – Piotrek z Damiankiem ślinili się na jego widok, zupełnie jakby zobaczyli najprawdziwszą pomarańczową pomarańczę. Ta w przeciwieństwie do zielonych jest naprawdę pyszna, no ale częściej zdarzają się jednak zielone.

Brachol łaskawie pozwolił im obejrzeć z bliska swój kapsel. W końcu i ja się przełamałem. To była góra pudełeczka z gwiazdą na zielonym tle w białym kółku z czerwonym brzegiem. Dół jest tylko czerwony, wiem, bo kiedyś takie miałem. Dziadek używał tej maści i w ostatniej chwili powstrzymałem go przed wyrzuceniem opakowania. Zabrałem do szkoły pokazać chłopakom, a tam zarekwirował je facet od wuefu i nigdy nie oddał. Wieśniak, pewnie sam teraz nim gra. Nauczycielom to jednak nie można ufać.

Krzysiek na widok kapsla Brachola aż jęknął z zachwytu i po krótkim namyśle pozwoliliśmy dołączyć młodemu do zawodów. Dobrze, że nie graliśmy akurat w noże, bo na pewno smarkacz podkablowałby mamie.

Musieliśmy ustalić kolejność startu, ale nie było zapałek do ciągnięcia i Damianek wyskoczył z wyliczanką:

Wpadła bomba do piwnicy,
napisała na tablicy:
ES O ES głupi pies.
Jeden oblał się benzyną,
drugi dostał w łeb cytryną,
a trzeciego gonią psy.
I wypadniesz, Raz Dwa Trzy,
Za żelazne drzwi numer Sto Dwadzieścia Trzy.

Wyliczanka? No nie, to dobre dla dziewczyn! Ale zachowałem to dla siebie, wyścig był ważniejszy. Pierwszy ruszać miał Piotrek, po nim ja, a potem Damianek, Brachol i Krzysiek.

– I jest, proszę państwa, oto zawodnik z Australii wyskoczył do przodu i gna przed siebie. Kto go przegoni? Czy Niemiec da radę? O, dał, świetnie, pokonał go o całą długość

i razem z Ghaną idą łeb w łeb. Ale, ale, uwaga, do gry wkracza Sri Lanka, jednak słabiutko, proszę państwa, słabiutko, może Polska ją wyprzedzi? Tak, udało się! Polska wystrzeliła jak z procy! Co za pstryknięcie, proszę państwa, co za pstryknięcie! Teraz do gry włącza się Tygrys i... O rety, mamy wypadek na torze, Tygrys przeskoczył linię i zarył się głęboko w piachu. Potrzebna będzie pomoc. Ale już-już Tygrys wraca na tor i śmiga koło Sri Lanki, wyprzedza Australię, mija Ghanę, uderzył w biegu Niemcy i zatrzymał się tuż przed Polską. Co za wyścig, proszę państwa, co za wyścig! Emocje rosną! Kto wygra? Kto będzie pierwszy? – Piotrek nadawał, nie zwalniając nawet wtedy, kiedy sam pstrykał. Aż Gruby się zaciekawił, wyszedł zza siatki i stanął obok, obserwując z zainteresowaniem zawody. Pani Magda wychyliła się z okna i chichocząc, przysłuchiwała się relacji. Nagle zauważyłem, że za mną stoi tata i kibicuje Bracholowi. Spanikowałem, że zaraz zobaczy dziurę w samochodzie, i przestrzeliłem Ghanę. Poleciała aż pod ścianę, a ja straciłem szansę na zwycięstwo.

Życie jest niesprawiedliwe! Też bym wygrał, gdybym miał kapsel z maści tygrysiej!

**DO SAMEGO WIECZORA** nie odzywałem się do Sebastiana. Chodził markotny i pstrykał sobie po wykładzinie swoim zwycięskim kapslem. Cóż, zwycięstwo może mieć też gorzki smak, niech się chłopak uczy życia... Następnego dnia mieliśmy z rodzicami jechać samochodem nad Wisłę. Po pierwszej gorącej sobocie zapowiadała się gorąca niedziela, którą chcieliśmy spędzić nad wodą. Komary jeszcze się nie obudziły, więc nic nie gryzło, a w okolicznych zaroślach zawsze można znaleźć mnóstwo ciekawych rzeczy. W zeszłym roku trafiłem na przykład na deskorolkę, a Brachol – farciarz jeden! – na małą koparkę, z tych, co to je sprzedają tylko w Peweksie. Oczywiście rodzice nie pozwolili nam zabrać ich do domu, ale przynajmniej bawiliśmy się nimi przez kilka niedziel spędzonych nad Wisłą, dopóki nie znalazł ich ktoś inny. Mama od rana szykowała koszyk z jedzeniem, a tata zniósł do samochodu leżaki, koce i swetry, gdyby jednak miało się zrobić chłodno. Długo nie wracał. Nagle drzwi otworzyły się z hukiem i do mieszkania wparował tata. A raczej ktoś podobny do niego, tylko z bardziej czerwoną twarzą, mówiący zmienionym głosem:

– Gdzie jest? Gdzie on jest?! – zanurzony do połowy w szafie z trudem tłumił krzyk.

– Ale co się stało? Czego szukasz? Kochanie? – Mama wpatrywała się w niego ze zdumieniem. – Jaki on?

– Pasek!!! Gdzie jest mój cholerny pasek?!!!

– Dzieci, nie słuchajcie taty. Idźcie do swojego pokoju, no już! A ty nie przeklinaj przy dzieciach.

– Jakich dzieciach? To nie dzieci, to potwory!!! Niech ja tylko znajdę ten pasek!

Mama wygoniła nas z pokoju i zamknęła drzwi. Po chwili usłyszeliśmy, jak łagodnym tonem uspokaja tatę, który przestał wreszcie krzyczeć, za to jakby się zapowietrzył:

– Mój... Mój samo... Mój samochód... On znisz... Zniszczył mój samochód. Gdzie mój pasek?!

W mgnieniu oka przeanalizowałem krytyczną sytuację i zastosowałem odpowiednie środki bezpieczeństwa. Chwyciłem klucz, szepnąłem Bracholowi, że spadam do babci, i wymknąłem się z domu. Skłonny byłem zostać u niej nawet do zimy, ale mama uznała, że wystarczy do jutra. Przyniosła mi wieczorem ubrania na zmianę i nadmieniła, że mam nigdy więcej nie wspominać przy tacie o samochodzie.

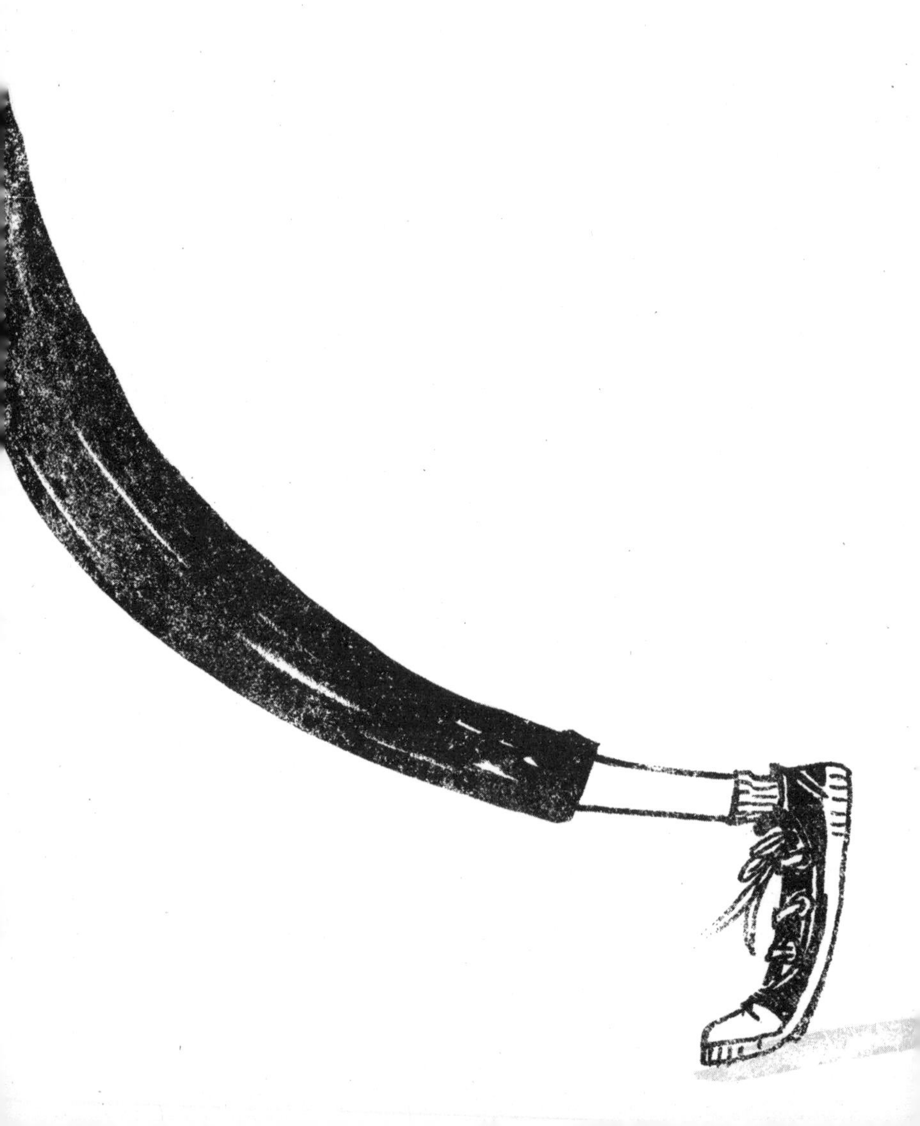

# ROZDZIAŁ DZIEWIĄTY

– **DALEKO JESZCZE?** – Brachol nie poddawał się łatwo, zadając tacie wciąż to samo pytanie.

– Coraz bliżej, coraz bliżej – odpowiadał z coraz mniejszym przekonaniem tata.

W samochodzie było strasznie gorąco. Po dwóch tygodniach deszczu nadszedł upalny sierpień. Gdybym mógł, wystawiłbym głowę przez okno i wywiesił język. Ale nie mogę, nie da się opuścić z tyłu szyby. Po dwudziestym pytaniu Brachola w lusterku wstecznym zobaczyłem tylko zaciśnięte usta taty, który po chwili wypuścił głośno powietrze i tym razem odparł tylko:

– Tak.

Jechaliśmy raptem czterdzieści minut, co oznacza, że Brachol zadawał swoje pytanie dokładnie co dwie minuty. Zaczynałem już dostawać szału. Pewnie zaraziłem się od mamy, która wczoraj wieczorem kazała tacie zadzwonić do babci Stasi i dziadka Józka i uprzedzić ich o nagłym przyjeździe wnuków, czyli nas, a potem zaczęła pakować nasze rzeczy. Tata mrugnął do nas porozumiewawczo, więc grzecznie usiedliśmy w ich pokoju przed telewizorem i nie ruszaliśmy się stamtąd, dopóki nam nie pozwolili. Jak tylko tata zamknął drzwi i poszedł do mamy, która w przedpokoju wyrzucała ciuchy z szafy i wpychała je do plecaków, Brachol przykleił się do dziurki pod klamką, a ja przyłożyłem ucho.

– Kochanie, nie wariuj – powiedział miękkim głosem tata do mamy.

– Na to już za późno. Jak ich nie zabierzesz jutro rano, własnoręcznie nadam ich pocztą i wyślę j a k n a j d a l e j s t ą d. W kawałkach.

**NA POCZĄTKU LIPCA** jeszcze było fajnie, bo pojechaliśmy na wakacje do Stegny. Jeździmy tam prawie każdego lata. Zawsze wygląda to podobnie – bladym świtem pakujemy wszystko do samochodu, dziwiąc się, jak to się w nim pomieściło, włączamy kasetę Demisa Roussosa – wokalisty podobnego z wyglądu do Grubego, ale śpiewającego jak kobieta, potem włączamy ją jeszcze raz, aż wreszcie jakieś sto lat później wysiadamy pod wojskowym ośrodkiem wypoczynkowym. Mama zakłada od razu kapelusz słomkowy i smaruje się kremem Nivea, a tata wpada w sportowy szał. Gra z innymi ojcami w piłkę, ping-ponga i badmintona, bierze udział w wyścigach w skakaniu w worku, a nawet jeździ na dziecięcym rowerze – przynajmniej przez pierwsze dwa dni. Trzeciego poranka nie jest w stanie podnieść się z łóżka, a do końca pobytu kuśtyka i z jękiem podnosi się z krzesła, które po śniadaniu wystawiamy mu na balkon, a potem znikamy aż do wieczora. Brachol babrze się zazwyczaj w piasku z innymi dziećmi, mama z liściem na nosie smaży się na plaży, a ja wtedy mogę robić absolutnie wszystko. Tym razem udało mi się nawet przetestować najnowszy wynalazek taty: wodne rakiety. Do wąskiej rury w kształcie rakiety wlewa się trochę wody i pompuje pompką do roweru, przez co w środku tworzy się ciśnienie, które po chwili nadaje rakiecie ekstraodrzut. Przelatując nad głowami plażowiczów, ścina im z głów kapelusze i skrapia wodą rozgrzane słońcem ciała, przez co nagle zrywają się z koców i leżaków, wykrzykując słowa, których nie mogę powtórzyć. Po jednym rakietowym pokazie musiałem szybko dać nogę. Strasznie nerwowi ci plażowicze. Mama udawała, że mnie nie zna, i na pytania innych matek o rodziców tego „przebrzydłego bachora", schowała się tylko za „Przekrojem". Nawet nie zauważyła, że trzyma go do góry nogami. Wtedy zdecydowałem się eksperymentować nieco dalej, dzięki temu przez dwa tygodnie zwiedziłem chyba całe Wybrzeże. A potem znów wsiedliśmy do samochodu i znów jechaliśmy sto lat, tyle że tym razem tata łapał się co chwilę za plecy, jęcząc „mój krzyż, mój krzyż", a mama głośno wzdychała.

Druga połowa lipca nie była już taka fajna, bo wciąż padało, a w telewizji leciały tylko powtórki *Niewolnicy Isaury*. Brachol z nudów pomalował kredkami całą ścianę w dużym pokoju, a ja piekłem kiełbaski nad ogniskiem naprędce zorganizowanym w kuchni. Nic prostszego – wystarczy tylko nalać do miseczki trochę spirytusu i podpalić. Kiedy przy okazji stopiła się cerata na stole i spalił ręcznik, którym próbowałem ugasić pożar, wielkie mi coś, mama oznajmiła, że zaraz dostanie szału. Bardzo chciałem zobaczyć, jak to wygląda, ale niestety tata zadzwonił na posterunek milicyjny w Sierpcu, gdzie pracuje dziadek Józek, i powiadomił go o naszym przyjeździe. I dlatego właśnie znów siedzieliśmy

w samochodzie i wyjeżdżaliśmy z Warszawy po okropnie dziurawych drogach, a Brachol wciąż pytał: „Daleko jeszcze?".

Pomyślałem, że jeszcze tylko dziesięć pytań i wreszcie zaśnie. Albo po prostu go zamorduję. Tata najwyraźniej pomyślał o tym samym, bo tylko zacisnął mocno dłonie na kierownicy. Mama została w domu i zamiast pomachać nam z progu, co zazwyczaj robi, trzasnęła drzwiami, dlatego na fotelu obok kierowcy siedział Albert, trzymając na kolanach torbę wypchaną sukienkami uszytymi przez babcię Kazię i czekoladami. Te pierwsze kończyły jako zasłonki albo obrusy w domu babci Stasi, a drugie miały osłodzić życie dziadkom, którzy oczywiście zostawiali je dla wnuków, a że wnuków jest wielu, profilaktycznie zjadaliśmy je z Bracholem najczęściej już w drodze do Sierpca. Po drodze mijaliśmy tylko inne samochody, drzewa i krowy pasące się na łąkach. Od czasu do czasu na poboczu stała furgonetka ze skrzynkami. Wtedy kierowcy zwalniali i podjeżdżali bliżej, niektórzy się zatrzymywali i kupowali koszyki owoców albo jakieś inne zapakowane w papier rzeczy. Chciałem zapytać o to tatę, ale akurat zza zakrętu wyjechał wóz milicyjny i zarówno furgonetka, jak i drugi samochód szybko odjechały.

– **ZŁOTKO MOJE!** – zawołała babcia, kiedy otworzyłem drzwi i wyskoczyłem z auta.

Wreszcie dojechaliśmy! Przywitałem się i natychmiast obiegłem cały dom, żeby sprawdzić, co się zmieniło. Tutaj zawsze coś się zmienia. Za każdym razem dom jest jakby trochę większy, bo dziadek dostawia do niego przybudówki albo spiżarki i maluje ściany na biało, więc widać go już z daleka. W dodatku dom ma czerwony dach i komin z czerwonej cegły – jak byłem mały, myślałem, że dziadkowie mieszkają w domu z bajki. Płot ma inny kolor każdego lata, tym razem był żółty, a w ogródku pod oknami rosną albo słoneczniki, albo piwonie, albo cuchnące pelargonie. Babcia uwielbia kwiaty, a dziadek krzywi się tylko i mówi, że lepiej posadzić tu ziemniaki. Za domem jest kurnik i obora, w której urzędują trzy krowy i jeden koń, tak stary, że prawie nic nie widzi, ale zawsze wyczuje cukier albo jabłko schowane w kieszeni. Nad oborą dziadek dobudował gołębnik, do którego wchodzi się po drabinie. Dobrze, że nie przyjeżdża tu z Warszawy babcia Kazia, która pewnie upiekłaby te wszystkie gołębie albo zrobiła z nich pączki. Dom dziadków stoi przy wiejskiej drodze, więc kiedy zaczyna padać, robi się tam straszne błoto. Kiedyś samochód taty utknął i trzeba go było wyciągać traktorem.

Kiedy zaglądaliśmy z Albertem do piwnicy, do której schodzi się przez otwór w podłodze w kuchni, usłyszałem klakson, a chwilę później ryk motocykla. Dziadek Józek przyjechał! Wyprostowany jak struna, z siwymi włosami furkoczącymi na wietrze wjechał na podwórko na starej motorynce i zahamował tuż przed samochodem taty.

– Dziadku, dziadku! – Brachol wymachiwał, starając się wydostać z objęć babci Stasi, która nigdy nie może zapamiętać, jak mamy na imię. Nic dziwnego, w końcu dwunastu wnuków to nie przelewki. Byłoby prościej, gdybyśmy wszyscy nazywali się tak samo, ale jakoś nikt na to nie wpadł. Dlatego babcia albo wcale nie zwraca się do nas po imieniu, wołając za to „złociutki", „kochaniutki", „miliardowy mój" czy po prostu „wnusiu", albo za każdym razem używa zupełnie innego imienia. Najfajniej jest, gdy zbieramy się tam wszyscy, babcia patrzy na całą dwunastkę chłopaków i woła: „Kochaniutki, pomożesz mi w kuchni?". Rzecz jasna wszyscy od razu znikamy. Dziadek Józek jakoś nie ma problemu z zapamiętywaniem imion i każdemu z nas pozwala przymierzyć kask motocyklowy (który bardziej przypomina wojenny hełm) i przejechać się motorynką.

Tata zjadł połowę ciasta, wypakował nasze rzeczy, po czym błyskawicznie wsiadł do samochodu i odjechał. Zupełnie jakby się bał, że będziemy chcieli wracać z nim. Odprowadziliśmy go na próg, gdzie dziadek postukał fajką we framugę, a babcia na pożegnanie pomachała chustką, którą zazwyczaj nosi na głowie.

– Miliardowy mój, chodź, wydoimy krowy. – Wzięła za rękę Brachola i przed wejściem do obory włożyła wielkie gumiaki. Młody podskakiwał radośnie, przynajmniej dopóki nie poczuł zapachu dochodzącego ze środka. Zatkał sobie nos palcami i wszedł za babcią, a ona roześmiała się tylko, wołając:

– Wydelikacony taki, miastowy chuderlaczek. Napijesz się prawdziwego mleka, zaraz nabierzesz rumieńców.

Oho, najwyższy czas, żeby się ulotnić! Kiedy mowa o mleku prosto od krowy, lepiej zniknąć na chwilę z pola widzenia i wrócić dopiero, kiedy niebezpieczeństwo zostanie zażegnane. Babcia Stasia, idealnie okrąglutka, z okrągłymi okularami na zaokrąglonym nosie i zakręconymi na wałkach siwymi włosach, ma obsesję na punkcie naszego wyglądu. No i zawsze skupia się to na mnie, bo jako jedyny ze wszystkich jej wnuków jestem równocześnie za wysoki i za

chudy. Zajrzałem jeszcze tylko do dziadka, który majstrował właśnie przy czarno-białym telewizorze ustawionym na samym środku pokoju, dokładnie naprzeciwko dwóch brązowych foteli. Rzuciłem okiem – tutaj też się trochę zmieniło. Na podłodze leżał inny dywan, bo dawny miał wściekle fioletowy kolor, a ten był trochę żółty z jednej strony, pośrodku

jakby pomarańczowy, a zielony z drugiej strony. Dziwny, no ale babcia lubi dziwne dywany. Często je kupuje u handlarza na targu, tak samo zresztą jak małe plecione makatki, które wiesza na ścianie nad tapczanami. Potem przypina do nich kartki, sportowe proporczyki dziadka z czasów, kiedy był zawodnikiem lokalnej drużyny piłkarskiej, i święte obrazki. Za to wspólna fotografia wszystkich wnuków, zrobiona podczas imprezy rodzinnej, nadal stoi w ramce na honorowym miejscu, czyli na telewizorze. Zaraz miał się zacząć *Dziennik*, miałem więc co najmniej pół godziny, zanim się zorientują, że mnie nie ma. W sam raz, by poinformować chłopaków o przyjeździe. Chciałem to zrobić od razu, jak tylko wjechaliśmy na podwórko, ale Albert stwierdził, że powinienem trochę odczekać. W sumie miał rację, babci byłoby przykro, gdybym tak od razu zniknął.

**Z BRAĆMI GIERDKIEM I ANTKIEM** znam się od zawsze, to znaczy, od kiedy pamiętam. Razem z rodzicami i dziadkami mieszkają po sąsiedzku, zaraz za płotem. Rodzice chłopaków prowadzą duże gospodarstwo i hodują krowy i kozy. Obaj moi kumple od małego zajmowali się tymi zwierzakami, dzięki czemu – farciarze – mają znacznie większe kieszonkowe niż ja. Szkoda, że w Warszawie nie mamy żadnej Mućki, mógłbym z nią wychodzić na spacer do parku, odpłatnie oczywiście, i sprzedawać przechodniom mleko prosto od krowy zamiast tej wodnistej cieczy ze sklepu. Dlaczego jeszcze nikt na to nie wpadł?

Gierdek jest niewiele starszy od Antka, ale wygląda prawie jak dorosły facet – wysoki, z rękami grubymi i żylastymi jak gałęzie czereśni oraz czymś na kształt wąsa pod nosem, wzbudza respekt i bez problemu radzi sobie z najbardziej nawet upartymi krowami. Chyba są w nim zakochane – na pastwisku wystarczy, że się ruszy, a natychmiast idą za nim jak banda wytresowanych i nieco przerośniętych pudelków. Antek z kolei jest cały obsypany piegami i ma do tego czerwone uszy, które robią się niemal buraczkowe, kiedy się zawstydzi albo przestraszy. Bo Antek to chyba najbardziej nieśmiały chłopak, jakiego znam. W przeciwieństwie do Adama, czyli trzeciego kumpla z Sierpca. On z kolei mieszka przy samym posterunku milicji, gdzie pracuje jego mama. Jest szefową dziadka, ale na szczęście Adam nie zadziera przez to nosa. I dobrze, bo ma strasznie długi nos i kiedyś nawet wołaliśmy na niego Pinokio. Ale świetnie umie się bić, więc szybko przestaliśmy. Adam również szybko biega (podobno ma tak od czasów, kiedy przez wieś goniło go stado wściekłych psów) i jeszcze szybciej gada. Jak zacznie nawijać, nie może przestać i jedyny sposób, żeby mu przerwać, to po prostu odwrócić się i odejść. Nie rezygnuje tak łatwo, bo idzie za ofiarą jeszcze kilka kroków i dalej gada, ale w końcu przestaje. Zna za to najfajniejsze miejsca w okolicy i całą listę rzeczy, których absolutnie nie wolno nam robić, co się naprawdę przydaje, bo dzięki temu wiemy, o czym nie mówić rodzicom. A już na pewno nie mówimy nikomu o naszej bazie, którą założyliśmy ze trzy lata temu na kasztanowcu nad strumieniem. Zawsze się tam spotykamy i ustalamy plan dnia, który i tak trzeba dostosować do zajęć Gierdka i Antka w gospodarstwie, do pory obiadów i godzin pracy mamy Adama. Najczęściej kiedy dziadek Józek idzie na noc, ona wraca do domu – i odwrotnie. Nie rozumiem, po co milicjanci muszą pracować w nocy – przecież złodzieje też muszą kiedyś spać, nie?

Nie znalazłem chłopaków na pastwisku, więc pognałem nad wodę, wdrapałem się na drzewo i zostawiłem im wiadomość:

„Przyjechałem. Wyzwanie: jutro o północy w Domu Umarlaków".

Wiedziałem, że się stawią. Dom Umarlaków jest na pierwszym miejscu na liście rzeczy zakazanych i to był jedyny punkt, którego dotąd nie odhaczyliśmy.

**NASTĘPNEGO WIECZORU** po długim dniu spędzonym głównie na rozjeżdżaniu motorynką dziadka stogów siana (to ja) i wyrywaniu kurom piór niezbędnych do indiańskiego pióropusza (to Brachol) babcia zagoniła nas na kolację. Byłem tak napchany śliwkami, morelkami i wiśniami, które zjadałem garściami prosto z drzew, że nie mogłem już patrzeć na jedzenie. Ale kto by się nie skusił na wypiekany przez babcię chleb maczany w wodzie i posypywany cukrem? Sam już nie wiem co lepsze – chleb babci Stasi czy pączki babci Kazi.

– Kochaniutcy moi, teraz kaszerowanie. – Babcia wygoniła nas z kuchni na ganek, gdzie czekała już wielka miska parującej wody.

U dziadków nie ma normalnej łazienki, trzeba myć się w misce, czyli – po babcinemu – kaszerować, a do tych, no wiecie, spraw służy wychodek za domem. Jak byłem mały, strasznie się bałem, że tam wpadnę. Dzięki temu wiem teraz, czym straszyć Brachola na wakacjach. Kiedy myliśmy się pod czujnym okiem dziadka, nachyliłem się do brata i szepnąłem:

– Lepiej uważaj tej nocy. Dziś jest pierwsza niedziela sierpnia, czas strzyg i bezimiennych duchów z Domu Umarlaków. Uwielbiają włazić do wychodka i kiedy siadasz na desce, wciągają cię do środka...

Brachol zrobił się nieco blady, więc babcia wmusiła w niego dodatkową szklankę mleka przed snem. Nastawiłem sobie budzik na 23.30, żeby zdążyć na czas, i ledwo zmrużyłem oczy, a już obudził mnie młody.

– Marcin, Marcin – szeptał z łóżka obok. – Obudź się, muszę siku.

Spojrzałem na zegarek, była dopiero 22.00.

– Daj mi spokój, przecież widzisz, że śpię. Idź się wysikaj i wracaj do łóżka.

– Ale Marcin, sam nie pójdę, tam są duchy!

Jęknąłem głośno. Właśnie zrozumiałem, co znaczy powiedzenie, że każdy kij ma dwa końce. Skoro regularnie straszyłem Brachola strzygami i innymi wymyślonymi stworami, to teraz mam za swoje. Przez chwilę myślałem, że może Albert by się ruszył, ale on oczywiście zasnął jak kamień i nawet nie drgnął, mimo moich poszturchiwań. Zwlokłem się z wyra, odprowadziłem młodego i czym prędzej wróciłem pod pierzynę, ale już nie mogłem zasnąć. Brachol długo się wiercił na łóżku i jak tylko usłyszałem jego spokojny, głęboki oddech, wstałem. Albert dalej spał. Ubrałem się po ciemku, spod poduszki wyjąłem mały plecak z latarką oraz szpulą sznurka i na palcach wyszedłem na ganek. Minąwszy oborę, obejrzałem się jeszcze, żeby się upewnić, że wszyscy śpią. Spali, więc przyświecając sobie latarką, popędziłem czym prędzej na cmentarz, na którym stoi Dom Umarlaków.

– **EJ, LONGIN**, tu jesteśmy!

Adam wyłonił się zza cmentarnej bramy, tuż za nim Gierdek i Antek z niepewnymi minami. Nic się nie zmienili od zeszłego lata – Adam może tylko trochę urósł, bo ostatnim razem sięgał Gierdkowi zaledwie do pachy, a teraz był już niższy od niego tylko o głowę.

– Co jest, cykor, panowie?

Mężczyzna swój honor ma, rzecz jasna, więc chóralnie zaprzeczyli. Poświeciłem latarką na najbliższe groby i odważnie przeszedłem przez bramę. Dziwne, o ile przed bramą świecił księżyc i gwiazdy, oświetlając drogę, o tyle tutaj panowały egipskie ciemności. Coś mokrego prześlizgnęło mi się po twarzy i odrobinę zwątpiłem, ale w końcu rzuciłem im wyzwanie. A wyzwanie rzecz święta.

– Aaa! – pisnął Antek, gorączkowo machając rękami. Pewnie gdyby nie było tak ciemno, zobaczyłbym jego intensywnie czerwone uszy.

– Spokojnie, to tylko pajęczyna – uspokoił go brat, a jego głos dodał mi nieco otuchy. Właśnie, to tylko pajęczyna, a my jesteśmy na zwykłym cmentarzu i idziemy w stronę zwykłego domu, będącego kiedyś zwykłym domem pogrzebowym, którego zarządca zniknął w tajemniczych okolicznościach i od tej pory już go nigdy nie widziano. Dom stoi pusty od lat, nikt tam nie zagląda, ani komendantka milicji, ani ksiądz. Babcia, kiedy słyszy o Domu Umarlaków, pospiesznie wykonuje znak krzyża, a dziadek spluwa przez lewe ramię.

Zarys domu wyłonił się z mroku, jak tylko przeszliśmy przez cmentarz. Była tam od lat nie używana i zarośnięta bluszczem furtka, która wcale nie chciała się otworzyć. Gierdek zasugerował, że może w takim razie byśmy...

– O nie, panowie! Nie poddamy się tak łatwo! Chyba nie zatrzyma was zwykła furtka? – I mocno ją pchnąłem.

Zazgrzytała tak piskliwie, że wszyscy podskoczyliśmy. Wreszcie staliśmy przed lekko uchylonymi drzwiami Domu Umarlaków. Nawet mnie odjęło mowę. Był ogromny, posępny i nieprzyjazny, po prostu idealny nawiedzony dom. Poświeciłem latarką po twarzach chłopaków, ale to, co zobaczyłem, nie dodało mi otuchy.

– No dobra, panowie, albo strzygi, albo my. Ktoś musi z tego wyjść cało! – krzyknąłem, żeby podnieść ich na duchu, i w tej samej chwili usłyszałem przerażający dźwięk.

– Uuuu! Uuuuu! – zawyło coś ponuro z głębi domu, a Adam skulił się i schował za szerokimi barami Gierdka.

Mało towarzyskie te duchy i jak niby się z nimi dogadamy, skoro tylko jęczą?

– UUUUUUU!

– Mamo, wracajmy! Wracajmy do domu! – wrzasnął Antek i zaczął szarpać furtkę, która jak na złość znów nie chciała się otworzyć.

– Spokój, panowie! Tylko spokój może nas uratować – powiedziałem najciszej, jak potrafiłem. Obawiałem się, że jak powiem to głośniej, usłyszą, jak drży mi głos. Pchnąłem mocniej drzwi, zamknąłem oczy i pomyślałem: raz kozie śmierć. Weszliśmy do środka. Pierwsze, co zobaczyliśmy w świetle latarki, to otwarta trumna, w której siedziała sowa, wpatrując się w nas szeroko otwartymi ślepiami.

– Uuuu, uuuu – odezwała się na nasz widok i wyfrunęła przez otwarte okno.

– O rany, to zwykła sowa. A my się spietraliśmy! – zawołał z ulgą Gierdek i wybuchnęliśmy śmiechem.

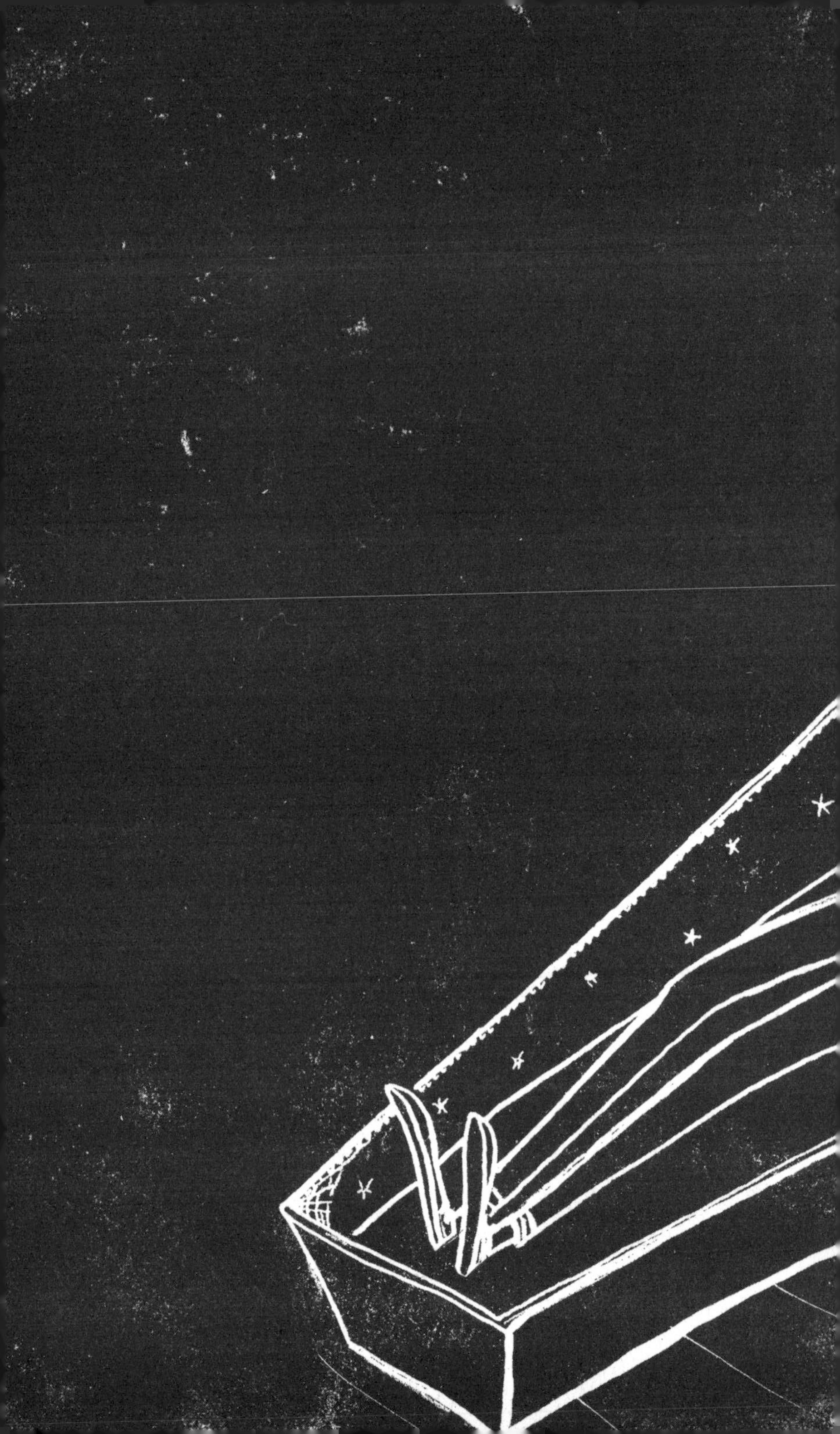

Pierwszy do trumny wlazł Adam i szczerzył się w świetle latarki, po nim każdy z nas pozował w roli nieboszczyka, a kiedy obeszliśmy cały dom, pusty, jeśli nie liczyć tej jednej trumny, spojrzałem na zegarek.

– Panowie, zbliża się pierwsza, sugeruję rozejście się do domów.

Chłopaki pokiwali głowami, Gierdek ziewnął rozdzierająco i już mieliśmy wychodzić, gdy nagle z góry dobiegł jakiś przytłumiony dźwięk. Sowa? Nie, raczej niedźwiedź, sądząc po odgłosach. Od razu przestałem być śpiący. Pokazałem Adamowi palcem schody na piętro, ale on tylko pokręcił przecząco głową. Wpatrywał się we mnie wielkimi oczami i wiedziałem, że albo zaraz zacznie krzyczeć, albo...

– Chodu! – wrzasnął i wypadł przez drzwi.

Za nim pobiegli Gierdek i Antek, a ja zostałem sam. Przełknąłem głośno ślinę i pomyślałem, że to ostatnie chwile w moim życiu, po czym na palcach ruszyłem w kierunku schodów. Dziwny dźwięk przybierał na sile, był coraz bliżej mnie. Czy ten duch ciągnie po podłodze kajdany? A może łańcuch? No bo co innego może targać za sobą duch?

– Marcin? – odezwał się duch. – Marcin, to ty?

Nie jestem aż tak głupi, żeby się przyznawać.

– Marcin, no weź! Odezwij się! Nie było cię, a ja musiałem iść do wychodka i jakoś tak... Chyba zabłądziłem – powiedział duch głosem Brachola, schodząc po schodach. Po pewnym czasie okazało się, że Sebastian regularnie lunatykuje, ale wtedy jeszcze o tym nie wiedziałem. – Możemy wrócić do domu? Spać mi się chce. Marcin?

**OBUDZILIŚMY SIĘ** dopiero koło południa. Przy naszych łóżkach stały już szklanki z mlekiem i talerzyki z pajdami chleba z masłem. Rzuciłem się na śniadanie głodny jak wilk i obudziłem Brachola, rzucając kromką w jego stronę. Nie wspomnieliśmy w ogóle o wczorajszej wyprawie. Mężczyzna swój honor ma i o pewnych rzeczach mówić nie będzie.

– Pani Stasiu, pani Stasiu! – dobiegł zza okna głos naszej sąsiadki, mamy Gierdka i Antka. – Słyszała pani, co wczoraj w nocy się działo? Znowu te, tfu, za przeproszeniem, umarlaki straszyły w domu pogrzebowym. Chłopcy ich widzieli, ledwo wrócili, bladzi jak ściana. Trzeba będzie księdza wezwać, niech coś z tym zrobi.

Babcia Stasia zrobiła tylko znak krzyża, a dziadek splunął przez lewe ramię.

O tak, to będą cudowne wakacje.

# ROZDZIAŁ DZIESIĄTY

**14 SIERPNIA BABCIA KAZAŁA NAM** dokładniej się wykaszerować i sprawdziła, czy na pewno mamy czyste uszy. Sama wyprała swoją odświętną sukienkę i chustkę na głowę, a z kieszeni garnituru dziadka wyjęła kulki naftaliny. Następnego dnia było święto i wszyscy mieliśmy iść do kościoła na sumę. Mieliśmy też zostać z Bracholem u dziadków aż do końca wakacji, taki przynajmniej był plan. Jednak kiedy wieczorem Albert czyścił sobie buty, przyjechał do nas Adam. Postawił rower pod płotem, a chwilę później, przyklepawszy odstającą fryzurę, zapukał do drzwi. Ukłonił się babci i – co dziwne! – bez słowa podał jej złożoną na pół kartkę. Potem spojrzał na mnie, pomachał ręką jak na pożegnanie i wyszedł. Babcia wzięła okulary, rozłożyła papier i zbladła.

– Tata dzwonił na posterunek. Przyjedzie po was jutro z samego rana. Wasz wujek zniknął.

– Jak to zniknął? – spojrzałem na nią zdumiony. W końcu stryjek często znika na kilka dni, kiedy chce, i nikt nie robi z tego afery, a już na pewno nie psuje nam wakacji.

– Nie wiem, miliardowy mój. Tata wszystko wyjaśni – babcia Stasia głośno westchnęła i odłożyła okulary na stół. – No to musimy was spakować.

Tym razem pakowanie nie było takie łatwe. Po włożeniu pióropuszy, kolekcji kamieni, łupu wojennego, czyli starego hełmu, który wykopaliśmy na polu, i żywego królika w plecaku zostało niewiele miejsca na ubrania. Zanim dziadek odkrył jego zawartość, zwierzak zdążył przegryźć się przez materiał i dać nogę, a przez dziurę wypadły wszystkie kamienie.

– A po co ci mój stary kask motocyklowy? – zdziwił się dziadek Józek, wyjmując ze środka łup wojenny.

Z dorosłymi jest tak zawsze. Najpierw marudzą, że nie umiemy się sami spakować, a jak się spakujemy, to marudzą, że się spakowaliśmy.

**TATA PRZYJECHAŁ** zaraz po śniadaniu. Miał tak poważną minę, że tym razem Brachol ani razu nie zadał pytania: „Daleko jeszcze?".

– Stryjek wrócił? – zapytałem, wyrzucając ogryzek przez okno. Babcia zapakowała nam do samochodu tyle owoców, że moglibyśmy otworzyć stragan na rynku.

– Nie, nie wiemy, gdzie jest. Nie skontaktował się z nami.

– Na pewno wyskoczył gdzieś z aparatem. Może robi zdjęcia pociągom na Olszynce? Albo pojechał z namiotem do Kazimierza?

Albert spojrzał na mnie tak, jakby chciał, żebym siedział cicho. Ale czemu? Przecież stryjka ciągle gdzieś nosi, zazwyczaj pakuje plecak i wyjeżdża na weekend, a potem wraca brudny od stóp do głów. Normalka. Obiecał, że następnym razem weźmie mnie ze sobą.

– Wszędzie sprawdziliśmy, nie ma go. Musimy zgłosić zaginięcie – dodał cicho tata, żeby nie usłyszał go Brachol. – Zniknął dwa tygodnie temu.

Ale super, zaginięcie! Jak w filmie sensacyjnym! Szturchnąłem Alberta, który wcisnął się obok nas na tylne siedzenie, i zaproponowałem mu zorganizowanie wyprawy poszukiwawczej. Miałem już nawet plan i postanowiłem wprowadzić go w życie, jak tylko dojedziemy.

**POD DOMEM** przywitali nas sąsiedzi pucujący swoje auto. Pani Mariola i pan Kazimierz z parteru hodowali w wannie kury, myli się tylko w soboty i wtedy drób łaził im po całym mieszkaniu, i nie mieli nic przeciwko przyjmowaniu ciuchów po naszych rodzicach. Mama często oddawała sąsiadce swoje stare sukienki.

– Trzeba pomagać innym w biedzie – mówiła, pakując kolejne ubrania uszyte przez babcię Kazię.

Przestała, kiedy odkryliśmy, że kupili sobie nowiutką škodę, fajniejszą niż nasza. Nawoskowana błyszczała sobie w słońcu w kącie podwórka, schowana pod zadaszeniem, które pan Kazimierz postawił tam specjalnie w tym celu. Nie widziałem, żeby kiedykolwiek jeździli tym samochodem, a już na pewno nie wozili nim swoich kur.

– Dzień dobry państwu – tata ukłonił się sąsiadom, którzy oniemieli na widok całej sterty rzeczy wyjmowanych z bagażnika i przedniego siedzenia. Oprócz plecaków i owoców przywieźliśmy też nowy dywan wypatrzony przez babcię u handlarza na targowisku, trzy kurtki zimowe po starszych kuzynach i królika wyciągniętego w ostatniej chwili spod łóżka, gdzie schował się po ucieczce z plecaka. Czmychnął jednak, gdy tylko Brachol otworzył drzwi, i tyle go widzieliśmy.

Mama serdecznie się z nami przywitała. Najwyraźniej zdążyła już zapomnieć o ognisku w kuchni i pomalowanych kredkami ścianach. Przy obiedzie rodzice opowiedzieli nam, gdzie dotąd szukali stryja. Okazało się, że zniknął nagle, nie zabrał ani torby podróżnej, ani namiotu, ani aparatu. Zupełnie jakby wyparował.

– Nie martwcie się, kochani. Stryj prędzej czy później się znajdzie, przecież go znacie. Tylko babcia Kazia jest trochę podenerwowana i lepiej, żeby skupiła się na was – powiedziała mama, wyjmując kolejną porcję kisielu z lodówki.

Lepiej, żeby skupiła się na nas? Zazwyczaj jest właśnie podenerwowana, skupiając się na nas, no ale niech im będzie. Nie będę marudził, dopóki dają mój ulubiony kisiel. W ciągu kilku kolejnych dni zorientowałem się, że każdy ma swoje zdanie na temat zniknięcia wujka. Babcia przekonana była, że wstąpił do zakonu, dziadek twierdził, że jego syn został tajnym agentem i wysłali go z misją na jakąś tam wojnę, mama rysowała sobie palcem kółko na czole, a tata... Tata po prostu był smutny. W tych właśnie warunkach skrzyknąłem całą paczkę i zaczęliśmy poszukiwania. Na mapie Warszawy z atlasu samochodowego zaznaczyłem miejsca ewentualnego pobytu stryja i podzieliliśmy je między siebie. Tak się jakoś złożyło, że w parze ze mną była Nika, co specjalnie mi nie przeszkadzało, ale Albert jak zwykle kręcił nosem i ostentacyjnie dołączył do Damianka. Rozdałem wszystkim zdjęcia stryja i ruszyliśmy. Naszej dwójce przypadła Olszynka Grochowska i park koło szkoły, ale nie znaleźliśmy tam żadnego śladu. Zaczepialiśmy ludzi na ulicy i pytaliśmy, czy ktoś go widział, jednak to też nic nie dało. Krzysiek zrobił nawet kilka plakatów z podobizną stryjka i przypięliśmy je pinezkami do drzew, a Nika zaproponowała, by dać ogłoszenie do gazety. Ta cała misja ratunkowa okazała się superzabawą. Każdy z nas miał przydomek, ale wciąż nam się myliły, więc musieliśmy wymyślać nowe. Poza tym codziennie jako szef ekipy poszukiwawczej zmieniałem hasło, bez podania którego uczestnicy nie mogli dołączyć do grupy.

– Hasło? – zapytałem Piotrka, kiedy zszedł rano na podwórko.

– Kisiel – odparł, drapiąc się po ramionach. Znowu miał jakąś wysypkę.

– Nie, to było wczoraj. Dzisiaj jest inne.

– Jak to inne? Jakie?

– No przecież nie mogę ci powiedzieć. Sam musisz wiedzieć! Nie znasz hasła, wypadasz!

W końcu sam pomyliłem hasła, ale przecież jako szef nie mogłem się do tego przyznać i zamiast tego wymyśliłem nowe rozwiązanie. Teraz codziennie, żeby móc przystąpić do poszukiwań, trzeba było wykonać zadanie. Na przykład Krzysiek miał zejść z dachu po linie, którą specjalnie tam przywiązaliśmy do anteny. Okazało się, że była trochę za luźna i wyrżnął nogami w okno Grubego. Na szczęście Gruby nie przejął się zbytnio i poprzeklinał tylko trochę, po czym wrócił do butelki wody brzozowej, z której popijał cały ranek, siedząc na swojej części podwórka. Zainspirowało to nas do tego stopnia, że kolejnym zadaniem Niki stało się odciągnięcie z brzozy porcji wody. Znalazła odpowiednie drzewo, nacięła je scyzorykiem, jednak nic nie chciało lecieć. Przyssaliśmy się wtedy do kory, ale nic z tego – ta woda brzozowa to jakieś oszustwo. Ciemnowłosy Damianek z kolei miał zmienić kolor włosów i zamiast zafarbować je sobie henną swojej mamy, zdecydował się na bielinkę do prania. Jak już go wypuścili ze szpitala, był blondynem z poparzoną czerwoną skórą na głowie i szyi, a mama zabroniła mu dalszego szukania stryja. Chłopaki uznali, że nie powinienem wymyślać zadania dla siebie, więc sami to zrobili – miałem przeskoczyć przez największy żywopłot w parku. Łatwizna! Naprawdę mogli się bardziej wysilić. Tak przynajmniej myślałem, dopóki nie zahaczyłem stopą o wystające krzaki i nie przywaliłem głową w krawężnik. Guz był gigantyczny, ale schowany pod włosami, więc nawet udało mi się go ukryć przed rodzicami przez kolejne dwa dni. Niestety od czasu zniknięcia stryja tata postanowił okazywać nam

więcej ojcowskiej czułości i kiedy zmierzwił mi czuprynę, wyczuł guza pod palcami. Nie zdążyłem się przygotować, więc musiałem coś naprędce wymyślić i tak oto trafiłem na pogotowie jako ofiara ataku wielkiego psa.

– Że niby pies nabił ci guza? – zapytała pielęgniarka, goląc mi pół głowy.

– No cofałem się przed nim i wie pani, tam było drzewo, takie gigantyczne, no i się uderzyłem.

– Jasne – odparła obojętnym tonem i nie wróciła już więcej do tego tematu.

Wypuścili mnie od razu po badaniu, a z ogoloną połową głowy stałem się natychmiast sławny. Tym razem miałem czas, żeby się przygotować.

– I wiecie – opowiadałem grupce dzieci z sąsiedztwa, która przyszła dotknąć mojej czaszki – wtedy zobaczyłem zielone migające światło. Takie długie macki wyciągnęły się ze statku kosmicznego i zabrały mnie na górę. Kosmici byli trochę przerażający, mieli jedno oko na wielkiej głowie, po trzy ręce z każdej strony i jedną nogę. No, ale się nie bałem. Zrobili mi badania, zdjęli włosy z tej strony, a tu, widzicie?, nacięli i włożyli do środka sondę. Potem już nic nie pamiętam. Obudziłem się tutaj – i wskazałem ręką na zadaszenie nad škodą pana Kazimierza.

– Szacunek, chłopie. – Po ramieniu poklepał mnie chłopak z sąsiedniej dzielnicy i z uznaniem pokiwał głową. Wieści szybko rozchodziły się po okolicy, a moja sława zataczała coraz większe kręgi. Wiedziałem, że jak skończą się wakacje i pójdziemy do szkoły, włosy już mi odrosną i znów wszystko wróci do normy, ale na razie korzystałem z pięciu minut chwały. Nawet Bożenka chciała dotknąć mojej głowy i wyszła specjalnie ze sklepu swojej mamy, kiedy szliśmy paczką do parku.

– Słyszałam, co się stało. Och, Longin, to okropne. Mogę zobaczyć?

I już wyciągnęła dłoń w moją stronę, ale wtedy zobaczyłem z daleka Nikę, która machała do mnie, wołając:

– No chodź! Czekamy na ciebie!

A może to było raczej: „Czekam na ciebie"? W każdym razie rzuciłem tylko Bożence, że może później, i popędziłem do Niki, nie oglądając się za siebie. Tego samego wieczora, kiedy rozważałem, czy nie podtrzymać zainteresowania i nie ogolić sobie całej głowy maszynką taty, Albert powiedział mi, że stryj chyba już nie wróci. Nie pasował tu za bardzo, był inny niż wszyscy dorośli i trochę odstawał, zupełnie jak on, Albert, i w ogóle... Odwróciłem się i spojrzałem na niego ze zdumieniem.

– Chyba zwariowałeś? Dlaczego miałby nie wracać? Pojechał gdzieś i tyle. Odezwie się pewnie pod koniec wakacji. I przestań się wygłupiać – dodałem, odkładając maszynkę na półkę. To jednak nie był dobry pomysł. Jakby się dało, namówiłbym Alberta na ogolenie głowy, ale w sumie szkoda zachodu, i tak tylko ja bym to zobaczył, więc żadna frajda. Ciekawe, czy nie przeszkadza mu, że w ogóle nikt go nigdy nie widzi, oprócz mnie, rzecz jasna. Czasami mu zazdroszczę, bo może robić całą masę rzeczy i nie dostanie za to po uszach, ale jak wtedy bym pluł na gołębie razem z Niką, strzelał z nią z procy do psa Grubego i pomagał jej wspiąć się na najwyższe drzewo w parku? Właściwie to nigdy nie mówił, czy lubi być niewidzialny. Wyszedłem z łazienki, żeby go o to zapytać, ale zamiast tego powiedziałem tylko:

– Chodźmy spać. Jestem zmęczony.

Gdybym wiedział, co wydarzy się następnego dnia, na pewno bym tak tego nie zostawił.

– **GORĄCO DZIŚ** – jęknął Krzysiek, siadając na podwórku pod drzewem.

Ostatni tydzień wakacji był naprawdę upalny. Na strychu nie dało się wytrzymać, dach przypominał rozgrzaną do czerwoności blachę do ciasta i zostało nam tylko trzymanie się cienia.

– Ej, słuchajcie, może pobawimy się w chowanego? Tylko w obrębie podwórka, żeby nie wyłazić na słońce? I bez ukrywania się w mieszkaniach. Co wy na to? – zaproponowała Nika i chociaż strasznie nie chciało mi się ruszać z miejsca, od razu się zgodziłem.

Pierwszy szukał Piotrek i kiedy liczył z zamkniętymi oczami do stu, pobiegłem do piwnicy i schowałem się w komórce tuż za drzwiami. Reszta rozpierzchła się po korytarzach, oprócz Krzyśka, który wpełzł pod samochód zaparkowany koło garażu. Z mojego ukrycia słyszałem przytłumiony głos Piotrka i chichot Damianka wciśniętego w okienko piwniczne. Usiadłem na drewnianej skrzynce i wtedy usłyszałem za sobą szelest. Zanim zdążyłem się obejrzeć, poczułem, jak ktoś zasłania mi oczy dłońmi, i usłyszałem, jak Nika cicho mówi:

– Zgadnij kto?

Na szczęście było ciemno, przynajmniej nie zobaczyła, że oblewam się rumieńcem, normalnie jak jakaś dziewczyna. Odczekaliśmy jeszcze z dziesięć minut, dając szansę

Piotrkowi na odnalezienie nas, ale w końcu wyszliśmy na podwórko. Krzysiek parsknął na nasz widok i zawołał:

– Zakochana para, Jacek i Barbara!

Chciałem go zdzielić, ale nie zdążyłem, bo uprzedziła mnie Nika. Wtedy właśnie zorientowałem się, że nie ma Alberta. Nie schował się ze mną, czyli pewnie znalazł inną kryjówkę. Zajrzałem do wszystkich korytarzy piwnicznych, przeszukałem garaże, zajrzałem nawet przez dziurę w płycie zasłaniającej otwór do starego szamba, ale nigdzie go nie było. Doszedłem do wniosku, że pewnie oszukuje i schował się w mieszkaniu, więc pognałem na górę. Pusto. Z parapetu zniknęła też jego kolekcja kamieni z Sierpca i kostka Rubika, którą układał codziennie przed snem. Zabrałem klucz na strych i popędziłem na górę, licząc na to, że może się obraził za Nikę albo coś w tym stylu. Przejdzie mu prędzej czy później, wreszcie będzie musiał się pogodzić z tym, że my...

– Albert? Jesteś tu? Przestań już i wyłaź, to nie jest śmieszne! – zawołałem w mrok strychu, na którym było gorąco jak w piekarniku, ale odpowiedziała mi tylko cisza. Naprawdę zniknął. Może wyruszył na poszukiwania stryja? Może wie, gdzie on jest, i postanowił go sprowadzić? Albo znudziło mu się bycie moim niewidzialnym kumplem? Postałem tam jeszcze przez chwilę, łudząc się, że zaraz wyłoni się z kąta i zawoła: „Mam cię!", a potem zszedłem na podwórko i dołączyłem do reszty paczki wybierającej się na lemoniadę.

**KIEDY JUŻ PANI MAGDA** zawołała Piotrka na kolację, postanowiliśmy się rozejść do domów i spotkać nazajutrz rano, ale zamiast wejść od razu na swoje drugie piętro, zaproponowałem

Nice, że odprowadzę ją do domu. Krzysiek chciał coś powiedzieć, ale się rozmyślił, pocierając palcami siniec pod okiem od uderzenia Niki. Poszedłem więc z nimi aż pod ich kamienicę, a kiedy wracałem, rozglądając się za Albertem, który mógł w każdej chwili wyskoczyć z ukrycia, spotkałem Bożenkę. Stała przed moją bramą, zupełnie jakby na mnie czekała. Jak się chwilę później okazało – czekała.

– Longin, mogę teraz zerknąć na twoją głowę? – spytała cicho, skubiąc palcem tynk na ścianie, o którą się opierała.

– Jasne – odparłem bez chwili wahania i pochyliłem się przed nią, żeby mogła dosięgnąć. I tak się zaraz zorientuje, że wszystko zmyśliłem, a poza tym włosy zaczęły mi już odrastać.

– Fajne – powiedziała z uśmiechem. – Ty jesteś fajny tak w ogóle.

Ale zanim się wyprostowałem, już jej nie było. W bramie odbijało się tylko echo jej szybkich kroków. Zobaczyłem za to tatę z teczką w ręku i kwiatami zawiniętymi w papier. Wracał dziś znacznie później z pracy i coś mi mówiło, że mama znowu będzie zła.

– O, widzę, że Don Juan nam tu wyrasta pod nosem – zażartował, ale nie bardzo wiedziałem, o co mu chodzi. – O dziewczynach mówię, synu. Tylko uważaj, bo wiesz, dziewczyny zazwyczaj oznaczają kłopoty. A potem to wszystko kończy się tym – i ze śmiechem zamachał mi przed nosem kwiatami.

Poszliśmy razem na górę, a na wycieraczce tata odwinął bukiet i zmiął papier w kulkę. Nabrał powietrza, ale zanim zdążył je wypuścić, mama otworzyła drzwi i nie zwracając najmniejszej uwagi na wyrosły przed nią gąszcz czerwonych róż, wyrzuciła z siebie jednym tchem:

– Dobrze, że już jesteś! Dzwonili z milicji, znaleźli Darka. Nic więcej mi nie powiedzieli, oprócz tego, że jutro ma wrócić do Warszawy pierwszym porannym pekaesem.

**WIECZOREM**, kiedy leżałem już w łóżku i czytałem komiksy, a Brachol spał przytulony do żelaźniaka, takiego zabawkowego samochodziku, który wspaniałomyślnie mu oddałem, usłyszałem, jak w pokoju obok mama mówi do taty ściszonym głosem:

– Musisz porozmawiać ze swoim bratem, nie może tak znikać, to jest niepoważne. Prawie zawału przez niego dostałam. A co, jeśli nasi synowie postanowią wziąć z niego przykład?

– Dobrze, kochanie, na razie niech wróci do domu i powie, co się z nim w ogóle działo. Dopóki nie znamy wszystkich szczegółów... – próbował się wtrącić tata.

– Zawsze go usprawiedliwiasz! To się musi zmienić i dobrze o tym wiesz – mama nie dawała za wygraną. – A właśnie,

*à propos* zmian – dzisiaj dowiedziałam się, że nasi sąsiedzi, Andrzej z mamą, wyjeżdżają do Krakowa. Odziedziczyli trzy pokoje po ciotce, a to oznacza, że ich mieszkanie zostanie puste. Może udałoby się je przejąć? Wyburzylibyśmy ścianę i wreszcie mielibyśmy więcej miejsca, a te dwa dodatkowe pokoje byłyby dla chłopców.

Byłem tak senny, że nawet nie usłyszałem odpowiedzi taty, ale coś mi mówiło, że skoro wszystko nagle zaczęło się zmieniać, to może wreszcie będę miał prawdziwy pokój tylko dla siebie. No bo wiecie, naprawdę wszystko zaczęło się zmieniać: mam już jedenaście lat, Albert zniknął, stryj zaraz wróci, za chwilę znów zacznie się szkoła, no i jeszcze Nika i Bożenka... Właściwie to obie są fajne, tylko każda z nich trochę inaczej... Jak się chłopaki o tym dowiedzą, dopiero się zacznie... No i własny pokój z normalnym łóżkiem...

Ale o tym wszystkim pomyślę jutro.

# SPIS TREŚCI

Koń w kapeluszu, koszmar mojego dzieciństwa.
Brachol grasuje.
Na szkolnej zabawie, z której niewiele pamiętam.
Mama z bracholem, przebranym za kosmitę.